molécules

françois bégaudeau

molécules

verticales

1

Assis adossé au tronc, le corps de Jeanne commence à se convenir. Se sent presque bien. Prolongerait volontiers sa sieste creusée comme une cachette de trésor dans la journée travaillée.

C'est l'heure d'y retourner, mais depuis cette paix la station verticale semble une gageure. Par quel miracle se lever ; être à la fois porteuse et portée. Autant si l'on chute d'un pont s'accrocher à soi.

Il y faudra une force extérieure.

Il y faut un cri qui, crevant la bulle de murmures boisés où elle flottait, provoque une chaîne de réactions vocales. Ça gronde, meugle, siffle, ricane, invoque son prénom. Elle l'avait presque oublié. Une seconde puis troisième onde le diffusent dans le parc. Elle ne peut plus surseoir à l'appel.

Quand elle remet sur pied ses soixante-douze kilos dont quatre pris en août et qu'elle reperdra c'est juré, un bref vertige la rappelle à sa migraine du matin.

En cinquante pas elle retrouve la coterie en émoi autour du plaid encombré de restes du pique-nique. Sans surprise c'est Lise qui fait des siennes. Posé sur sa langue tirée, un bout de verre attend qu'une décision de la mâchoire le précipite dans le gosier. D'une voix trop douce Archibald l'informe qu'elle risque de se couper la gorge. Jeanne s'en agace. Comme si le but de la manœuvre n'était pas justement de se blesser. Archibald a la manie de vouloir faire entendre raison. Le langage audible par Lise n'est pas de raison. Jeanne la fixe comme pour l'hypnotiser. Si tu avales tu hurles, dit-elle, et si tu hurles le ciel craque et s'écroule comme un plafond. D'un coup Lise perd de sa superbe. Sa trouille que le ciel s'écrase sur elle lui fait cracher le bout de verre, que Gaël récupère pour l'enterrer à l'écart en annonçant qu'un verrier poussera dans la nuit. Il ajoute qu'il n'est pas pédé. Le voyant tasser la terre, Ali demande si le verre donné par l'arbre sera comestible. Gaël assure que oui. Dans ce cas Ali en mangera.

Jeanne se retient d'accrocher le regard d'Archibald pour l'accabler de son triomphe. Trois mois de présence du jeune homme dans l'association n'ont pas tari son envie de narguer son zèle. Pas plus qu'elle n'arrive à se convaincre qu'il est complètement innocent de son prénom ridicule. L'observant taper dans ses mains pour accélérer la distribution des yaourts, elle songe qu'une caserne lui aurait mieux convenu qu'un service civique. Se prête-t-il foi quand il assure que sa place est ici, qu'au contact de ces gens il apprend beaucoup ?

Didier renverse une brique de Joker sur sa tête hirsute. Henriette et Jeanne se surprennent l'une l'autre à jauger les nuages. Quand Didier se douche de jus d'orange, ou de lait chipé dans le frigo de la cuisine thérapeutique, c'est qu'il va pleuvoir. Comme ça la pluie ne mouillera pas ses cheveux mouillés. C'est logique. C'est tautologique, a observé un médecin du Centre et ainsi Jeanne a appris le mot.

On lève le camp avant de se prendre une saucée. La balade autour du lac est reportée au lendemain. Geneviève panique, Momo l'attend au fond de l'eau, qui va le prévenir ? Si personne ne le prévient, il va y avoir un drame. Elle décline d'avance toute responsabilité.

Paul-Marie allègue que n'ayant pas déjeuné il n'est pas concerné par le rangement. Il ne mange que des prunes et aussi des fruits. Il porte à ses lèvres la main de Lise pour la baiser. S'il n'était pas déjà marié, il l'épouserait.

Chantal tarde à se retirer du plaid pour permettre qu'on le replie. Même enfouis dans des bottes jaunes en caoutchouc, ses pieds refusent de fouler l'herbe. Ce n'est pas négociable. Henriette l'invite à passer outre son dégoût pour honorer ses quarante-neuf ans qu'on fête demain. 40 + 9, précise Chantal avant de malmener un refrain que Jeanne croit pouvoir attribuer à Donna Summer. Chanter ne la met pas en mouvement. La situation est bloquée. Didier se retourne devant elle et agrippe ses cuisses pour la hisser sur son dos massif. Fièrement perchée, Chantal décrète que nous pouvons y aller.

Ali en tête, concentré sur la mission d'éclaireur qu'il s'est confié, la petite douzaine chemine vers le bâtiment du Centre que masque la butte verte. Paul-Marie témoigne que le Koweït est un pays magnifique, un jour il s'y rendra. Les premières gouttes s'écrasent sur les bras nus et Didier n'en tire aucune gloire. Il s'immobilise pour saluer le grand tilleul de la cour. Quand la pluie parle, les oiseaux se taisent. Quand la pluie se tait, les oiseaux reparlent. Sur les cheveux coagulés de son porteur, Chantal passe un index qu'elle lèche. Elle chante en anglais qu'elle n'aime pas le goût d'orange. Elle lèche encore.

De son sac Henriette tire un sachet d'Aspégic qu'elle remet à Jeanne sans se donner la peine de rassurer Geneviève toujours inquiète pour Momo au fond du lac. Longtemps une aide-soignante a supputé que ce prénom ressassé invoquait un père prénommé Maurice. Un jour le père en question a débarqué qui s'appelait Jean. Il avait des moustaches.

Les infirmiers cachent leur joie devant le retour prématuré de la troupe. Ils rassemblent les pique-niqueurs dans la salle des ateliers où ils tâcheront de les occuper. À l'inverse, les trois intervenants extérieurs bénissent la pluie qui les libère plus tôt. Les respectifs dix et vingt ans de Jeanne et Henriette dans l'association leur ont désappris à se croire des capitaines abandonnant le navire lorsqu'elles partent avant le soir, avant les piluliers, avant l'agitation du coucher et les portes de placard arrachées. Jeanne écluse quand même un fond de mauvaise conscience en essuyant la bave sur le cou d'Ali. En aidant Hugues à classer sa collection de pinces à linge, en haut les bidasses, en bas les généraux. En écoutant Geneviève recommander d'appeler les grenouilles pour qu'ils plongent et remontent Momo. Les grenouilles ont des tubas et des bouteilles pour l'air et des palmes et Didier plaque une main d'ogre sur la bouche de l'intarissable. C'est rude et efficace. C'est rudement efficace. Jeanne lui adresse un clin d'œil reconnaissant.

Archibald signale au médecin-psy l'incident du bout de verre dont nul ne s'inquiète. Lise arriverait très bien à mourir si elle le souhaitait vraiment. Quand Patrick lui a arraché le couteau à pain avec lequel elle allait se scier les veines, elle l'a appelé son ange gardien. Faudrait savoir, a dit Patrick.

Jeanne salue la compagnie en se lançant sous la pluie jusqu'à la Clio garée sur le terre-plein et qu'elle engage dans l'avenue de la République. France Inter annonce le vote de la réforme des retraites promise par Juppé lors de son discours d'investiture. Le Premier ministre s'était donné quatre mois, nous y sommes. Le mot retraite projette l'esprit de Jeanne vers la terrasse ombragée de la maison du Pradet qu'elle et Charles occuperont toute l'année quand plus rien ne les retiendra à Annecy où la ramène le redoublement des gouttes sur le pare-brise. Didier avait deux fois raison. Parfois ses capacités semblent sans limite que le ciel. Elle peine à croire que, par lassitude ou carence de la bonté, sa précédente famille d'accueil ait préféré le replacer au Centre. Mais il faudrait s'y voir. Il faudrait se voir avec Didier sous son toit, jour et nuit. Une fois elle en a émis l'idée auprès de Charles, pour tâter le terrain. Il a dit les fous ne sont pas tes enfants. Un accident embouteille la rue Carnot. Les fous ne sont pas tes enfants. À travers l'écran des pensées, le scooter couché sur le bitume luisant est flou. Ali prétend que Didier est le fils d'une jument et d'un notaire. La jument pour sa force et le notaire on voit bien.

On voit quoi?

Un flash spécial informe qu'un cueilleur de champignons a vu Khaled Kelkal chercher une planque dans la forêt de Malval. Hier Jeanne s'est irritée d'entendre une secrétaire du Centre craindre que le terroriste vienne terroriser Annecy. Une ambulance fonce en sens inverse. De plus en plus d'attitudes l'irritent. Tant la résignation que le volontarisme. Tant le zèle d'Archibald que ses négligences. Ça lui laisse peu de marge le pauvre. Elle s'insupporte de si peu supporter. Elle renonce à passer voir Charles à la pharmacie, trouver à se garer dans la vieille ville la fatigue d'avance. Il ne lui en tiendra pas rigueur. Il dira je ne t'en aime pas moins. Il dira je t'aime quand je te vois, je t'aime quand je ne te vois pas. Elle lui pardonnera d'exagérer.

Certains jours les bizarreries de Didier l'amusent moins. Tout dépend de l'humeur, et de quoi dépendent les humeurs? D'où vient sa migraine, et qu'à cet instant l'efface une crampe au mollet? Jamais deux maux à la fois, Jeanne a remarqué, l'un met toujours l'autre en sourdine. Parfois elle se pince jusqu'au sang pour remiser la douleur d'une carie dans l'arrière-salle du système nerveux. La Clio est à la peine dans la pente humide du Varan. Jamais d'état neutre non plus, jamais de calme plat. Rare la quiétude. Le temps a vidé les trottoirs de la rue de Rumilly. Deux adolescents s'abritent sous le porche d'un musée où ils n'entreront jamais. Un matin elle a trouvé les infirmiers paniqués, Didier avait découché, et pendant les heures qui ont précédé sa réapparition placide, l'acuité de son inquiétude a donné la mesure de son affection pour lui. La nouvelle du cancer du poumon de son père l'a moins chamboulée. La panique de le perdre aussitôt supplantée par la certitude que chez les Luciano la maladie frappe tard. Soudain les vingt-huit ans qui la séparent des soixante-douze de son père lui assuraient une longue plage de vie sans pépin. Le nombre de conneries qui passent par la tête. Mais si c'était de pures conneries, passeraient-elles par la tête ? L'hérédité génétique ça existe. Le groupe sanguin et la couleur des cheveux se transmettent, pourquoi pas une moindre prédisposition à la maladie. Elle n'arrêtera pas de fumer de sitôt. Elle se gare à l'extérieur comme chaque fois qu'elle rentre seule. La conscience que sa crainte des parkings souterrains se nourrit de scènes de polars bas de gamme ne la dissipera jamais. Elle s'abrite sous le col tiré de son imper jusqu'à la porte vitrée de l'immeuble B. Dans le gris humide le rose saumon de la façade fait pâle figure. Madame Nunez sort de sa loge équipée d'un seau et d'un lave-pont. Jeanne s'attarde sur le paillasson pour complaire à l'hygiénisme pointilleux de la gardienne. Elles échangent trois phrases en mouvement, l'une vers l'escalier, Jeanne vers l'ascenseur où elle retire ses mocassins de cuir, certaine que sa crampe vient des pieds à l'étroit. De fait ça la soulage. Charles dit que l'autopersuasion est le meilleur médicament. Garde-le pour toi, plaisante-t-il, sinon ma boutique fait faillite. L'extinction du 1 allume le 2. De son sourire dans la glace elle déduit qu'en cet instant quelque chose la contente. Peut-être sa frange noire affolée par le vent. L'extinction du 2 allume le 3. Plus sûrement la perspective du bain chaud où, une fois préparées les crêpes promises à Léna, elle pourra se languir, agitant ses orteils émergés en leur inventant des dialogues de marionnettes, des conflits solubles, d'inoffensives joutes, et alors il se peut qu'à la faveur d'un furtif accommodement entre les températures de l'eau et du corps, d'une brève vacance de l'inconfort, quelques secondes, peut-être une seule, un atome de temps, elle se sente bien.

2

Indolore sur ses cheveux noirs déjà mouillés, la pluie n'accélère pas la marche de Léna. Qui la prend comme un heureux prolongement de la piscine. En matière d'EPS elle aime mieux ces heures-là que celles de gym, à flageoler sur une poutre ou foirer ses roues. Un cauchemar, la roue. D'apprendre qu'au Moyen Âge c'était une torture ne l'a pas étonnée. Pourtant elle applique scrupuleusement les consignes, mains posées au sol l'une après l'autre dans l'axe des pieds alignés et logiquement le reste suit. Son corps n'est pas logique, qui toujours s'enroule de travers. La vie est bancale, c'est le premier bilan qu'elle en tire après quinze fois douze mois à circuler dedans. Elle s'engage sur le chemin de berge du canal. L'eau seule abolit le bancal. L'été dans la baie du Pradet elle ferait la planche des heures sans fatiguer. Sa mère qui toujours la met en garde contre le courant la sous-estime. Elle que dix brasses essoufflent projette sur sa fille sa propre incapacité. Dans une vie antérieure Léna était une méduse et sa mère un mammifère. Une biche. Non, pas une biche. Une biche n'interdit pas à sa fille un piercing au nez, arguant d'un risque d'infection pour grimer son dégoût en prudence. Une biche dit : je te fais confiance, tu as sûrement une bonne raison de te percer. Une biche ne se fait pas prier pour préparer des crêpes. Non, penser en ces termes n'est pas juste. Les crêpes nul doute qu'elle est en train de les faire. Souvent Léna est injuste avec sa mère. Lui cherche querelle sans raison, ou pour une raison si obscure qu'elle fraye avec la déraison. L'eau basse du canal est piquetée de gouttes. L'an dernier les pompiers y ont repêché un clochard que l'alcool dans son sang n'avait pas aidé à surnager. Posons qu'un corps mince flotte mieux. Sa mère est plus grosse qu'elle, ça colle. Mais sa copine Adeline, plus grosse que sa mère, est dans l'eau comme un poisson. Le théorème d'Archimède est contre-intuitif. Le prof de physique a expliqué qu'un phénomène est contre-intuitif quand perception et science se disjoignent. Quand la vérité vécue n'est pas la vérité vraie. Un bâton à moitié immergé a l'air tordu. En rade de Toulon, les cargos lestés de containers devraient couler et ne coulent pas. C'est inconcevable et vrai. Un corps vivant est voué à ne vivre plus, c'est inconcevable et vrai. Peut-être que ce prof l'intéresserait moins s'il n'était pas beau. Peut-être qu'elle aimerait moins Wilhelm s'il ne l'aimait pas. Qu'elle n'est tombée amoureuse que de sa déclaration par lettre, quelle solennité, seize ans à peine et déjà grave comme un sage. Ou tombée amoureuse de cette gravité, précisément. Ou juste de ses lèvres charnues. On est peu de chose, dirait son pharmacien de père, mais un élan hormonal est-il moins reluisant qu'une fusion des âmes ? Dictée par son prof préféré, la définition des phéromones ne lui est pas apparue moins poétique qu'une sérénade sous un balcon ; les messagers chimiques entre individus pas moins suggestifs que des métaphores florales. La pluie commence à redescendre de son pic. Ce n'est pas encore aujourd'hui que le canal débordera. Petite elle pensait que les machines étaient des personnes. Le transistor était une personne douée d'une palette vocale infinie. Ce serait donc le contraire. Les humains qui seraient des machines. Elle rêve d'en disséquer un, plutôt que les pauvres grenouilles de sciences nat. De se pencher sur les entrailles pour débusquer au scalpel les particules d'amour. On saurait enfin. On n'en saurait pas plus. Une mise en équation de la création du monde ne dissiperait pas le mystère. La matière quelle drôle d'idée. La pluie est de la vapeur condensée et alors ? Une explication n'explique rien. On dit big bang on n'a rien dit. Elle change de berge par la passerelle métallique badigeonnée d'un tag sibyllin. Un pont on sait comment ça tient mais on ne sait pas. C'est logique et ça reste improbable. Elle rechange de berge par la passerelle en bois bleu. Tous les détours lui sont bons pour retarder le moment de rentrer. L'appel des crêpes nappées de Nutella moins fort que sa flemme de s'astreindre au devoir d'histoire à rendre demain. Causes et conséquences de la chute de l'Ancien Régime. Le roi est mort vive le roi, elle ne comprend pas cette formule. Si le roi est mort, le roi est mort. Une semaine qu'elle reporte la rédaction de l'intro. Elle se traîne. Elle traîne soi-même. Le corps est un tracteur et qu'il faut tirer. C'est contre-intuitif. C'est possible et improbable. C'est possible si on le divise en deux. Si en lui on dissocie la chair à porter et les forces porteuses. Les fluides. Le sang, toujours mobile. Alors qu'un os se tient tout raide. Le composant liquide mobilise le solide. À cet instant c'est le second qui en elle domine. Si elle plongeait dans le canal et nageait jusqu'au lac, le rapport s'inverserait. Le quotidien garde-fou l'empêchera de plonger. L'ordinaire la maintiendra dans le droit chemin. L'ordinaire passera invariablement par la rue Gambetta que borde l'école primaire où déjà tout l'intriguait. Ce qui arrive déroge rarement au probable. Le probable est cette grisaille de fin septembre. Est le quadrillage blanc du parking vide sauf la Clio de sa mère. Le rose saumon de la résidence. La façade en travaux de l'immeuble D. Les quatre étages immuables du sien. Les balcons moins fleuris l'automne. La typique pente des toits. L'atypique attroupement devant le rez-de-chaussée. Le nombre improbable de gens et de véhicules. La projection bleue d'un gyrophare glissant et reglissant sur la vitre de la loge B. Dans ce tableau d'exception Léna renifle l'aubaine de reporter le devoir d'histoire. Vive le roi. Cette agitation a une raison puisque tout en a une. Elle s'entend émettre l'hypothèse d'une course cycliste dont le parcours crochèterait par cette rue réservée aux riverains. Toutes les conneries qui vous viennent, et comment se les imputer ? Une pensée ne se contrôle pas plus qu'un courant d'air. La traverse aussi l'idée d'un incendie. D'un court-circuit dans la cave. D'une fuite de gaz. Parfois à la télé des immeubles remplis d'Africains explosent, mais ils sont plus vétustes que celui-ci. Il n'y a aucun Noir parmi les gens qui massés sur le trottoir semblent un cordon de sécurité

tendu entre Léna et le hall. Madame Nunez n'est pas noire
qui vient à sa rencontre. Il ne faut pas monter, dit-elle.
Pas maintenant, pas tout de suite. On va se mettre dans
la loge et attendre un peu c'est mieux. Elle répète : c'est
mieux. Le répète encore. On va tremper des boudoirs dans
un chocolat chaud comme Léna aime. C'est mieux. Elle
lui prend une main et la porte à ses lèvres pour la baiser.
Ma pauvre petite. Madame Nunez l'appelle ma petite parce
qu'elle l'a connue à cinq ans. À l'inverse sa mère quand elle
était petite l'appelait ma grande. C'est bien la preuve. À son
tour s'approche monsieur Fortin. C'est bien la preuve que
tout est relatif. Monsieur Fortin l'enlace. Pour la consoler
et c'est lui qu'il console. Pour sécher les larmes de la petite
et c'est lui qui pleure. Petite et grand on ne sait plus.
Léna hébétée se laisse caresser la tête comme un cocker.
Sa conscience est en retard sur la situation. Sa conscience
transie de peur tarde à rattraper le cerveau qui, fort d'une
clairvoyance dont les ressorts échappent, a tout compris.

3

Le photographe s'accroupit pour cadrer serré Jeanne Deligny. Les trois premiers clichés le laissent insatisfait. L'angle optimal se cherche encore. Pourtant les visages c'est ce qu'il préfère shooter. Il n'a pas déjeuné, c'est sa faim qui le déconcentre. Il s'écarte pour que le capitaine Brun examine de près la plaie béante au cou et les joues lacérées. À première vue, trois fois une joue, deux fois l'autre. À confirmer. Un sillon monte jusqu'à la tempe, un autre balafre le front. Sans cela elle serait jolie. L'était il y a une heure. L'est encore malgré les yeux exorbités de qui s'est vu mourir.

Le travail du technicien en identification criminelle est compliqué par le réflexe qu'a eu la concierge d'éponger le sang. Déformation professionnelle. Une fois le palier présentable, elle est montée au quatrième alerter monsieur Fortin prénom André. On ignore s'il a hurlé en découvrant sa voisine du dessous gisant devant l'ascenseur. On suppose qu'à partir de ce moment chacun a tâché de s'épargner la vue du corps en le confiant à une autorité supérieure. André Fortin en secouant son épouse assoupie devant Des chiffres et des lettres dont a retenti le carillon final. Marie-Laure Fortin en téléphonant à sa fille qui ingénieur à Grenoble saurait quoi faire. Anne-Lise Fortin en téléphonant depuis Grenoble au pédiatre de l'immeuble C qui, accouru auprès du corps en qualité de médecin, s'est si bien astreint à ne montrer aucune émotion qu'il n'en a pas ressenti. Décès constaté, commissariat appelé, il a pu rallier son cabinet pour attraper sa consultation de 18 heures, une varicelle.

Le capitaine Brun a appris à admettre que la police empêche moins les crimes qu'elle n'est mise devant leur fait accompli. Le fait accompli de ce corps affalé bras en croix pourrait se surinterpréter. Un scrupule verbal l'en empêchera. On ne dira pas bras en croix mais tendus. Bras tendus légèrement coudés et de rigidité moyenne. Ça ne change rien et ça change tout.

La peau mate pâlie sera bientôt livide. Le corps sujet au temps encore quelque temps. La morte continue sa petite vie. Pas seulement la rétractation des ongles, les écoulements d'urine, le refroidissement, la raideur qui gagne cellule par cellule. Plein d'autres aspects. On dit que l'âme survit au corps et c'est l'inverse. Le capitaine se répète cette phrase pour la scanner. Tient-elle de la formule facile ? La réponse est oui. Contient-elle néanmoins une part de vrai ? La réponse est différée.

Satisfait de ses derniers clichés du visage, le photographe judiciaire commence à immortaliser les projections de sang sur le mur qui borde la cage. D'abord une vue d'ensemble, puis une série de détails afin d'établir une typologie exhaustive des taches, des plus voyantes aux presque invisibles. Pour celles du mur latéral mieux exposé, il referme le diaphragme, ce sera plus joli. En sortant il fera un saut au Quick de l'avenue de Chambéry.

Le capitaine se mouche dans le kleenex gracieusement offert par le légiste qui n'a pas de doutes sur la cause du décès : décompensation cardio-respiratoire consécutive à une section de l'artère carotide commune. La main droite enduite de sang laisse penser que la victime l'a portée à son cou pour endiguer l'hémorragie massive. La chance de réussite d'une telle initiative, qui dénote autant une lucidité intacte après la blessure mortelle qu'une certaine expertise en soins d'urgence, est évaluée à zéro. Par ailleurs la nature des lésions est compatible avec une lame fine. Celle d'un petit cran d'arrêt, voire d'un canif ou d'un cutter. En tout cas le visage et le cou ont été entrepris par une arme unique.

— Mais dans quel ordre ?

Le légiste fait répéter. Le capitaine redemande un kleenex et dans quel ordre.

— Les deux modes d'agression s'étant sans doute suivis de près, il est difficile de l'établir.

— Dommage.

Le légiste fait répéter, confirmant sa surdité précoce. Le capitaine se mouche en repensant : dommage.

Sachant que 98 % des agressions à but crapuleux per-pétrées cette année en Haute-Savoie se sont soldées par la disparition de biens, le brigadier Calot croit pouvoir affirmer que la montre de valeur trouvée intacte au poignet de la victime et les trois billets de cent francs dans son sac classent ce meurtre dans les 2 % restants. Sans compter l'absence de traces d'effraction sur la porte des Deligny. Le capitaine aimerait connaître le pourcentage d'utilité du carnet à spirales dans une enquête criminelle. Son subalterne sourit à défaut de comprendre et entame la relecture à haute voix de ses notes sur ledit carnet. Jeanne Deligny, née Luciano, quarante-quatre ans, est salariée de l'Association de loisir intersectorielle qui intervient au sein du Centre hospitalier spécialisé, rebaptisé Centre de santé mentale en 1987, communément appelé Centre par ses usagers et Asile par les riverains. Elle y travaille cinq jours par semaine. Enfin, y travaillait. Elle l'a quitté aujourd'hui aux alentours de 16 h 30 pour regagner l'appartement qu'elle habite avec mari et fille depuis 1983. Enfin, qu'elle habitait.

Les tissus nerveux du capitaine Brun n'ont pas réagi à l'âge de la victime. Le panel des défuntes fréquentées en vingt ans de carrière embrasse toutes les générations de trois à quatre-vingt-quinze ans. Ce serait bien le diable s'il ne s'en trouvait jamais une du même âge qu'elle.

Le brigadier Calot attire l'attention de sa supérieure sur le scellé numéro 12, la paire de mocassins de la victime, dont les deux unités ont été retrouvées à respectivement trente-deux et cent quatorze centimètres de leurs pieds de référence, laissant penser qu'elle s'en est servie comme arme de défense. Or l'imperméable encore ceinturé, la jupe non relevée et l'absence de tumeurs résultant de coups dénotent qu'il n'y a pas eu de lutte. D'où la supputation que la victime surprise à sa sortie d'ascenseur n'a eu le temps d'aucune réaction.

Le capitaine Brun ne dit mot sans consentir. Une chaussure pour parer une agression, admettons. Réflexe pathétique, bouleversant; comme opposer une main à un tir de fusil. Deux mocassins, ça devient douteux. Il y a autre chose à dénicher là-dedans. On trouvera. Pas d'urgence. Pour l'instant rester au ras des pâquerettes. Avant de démarrer, s'attarder au point mort.

— Les mocassins sont de marque Tod's, sortie d'usine 1994.

— Détail crucial.

— Vous croyez?

— Non. Qu'est-ce que la concierge foutait au troisième?

Calot refait jouer son carnet pour répondre : le ménage. Voyant quelqu'un entrer dans le hall et s'engager dans l'escalier, elle a entrepris de nettoyer tout de suite derrière son passage.

— Un homme?

— Affirmatif. Un individu de sexe masculin. Et juste après, madame Nunez a croisé la future victime qui rentrait.

— Juste avant.

— Juste après.

Calot retourne son carnet et pointe la page 11 brouillonnée. Juste après, c'est bien cela.

— La victime entre dans l'immeuble après son agresseur?

— En admettant que l'individu soit l'agresseur.

— En l'admettant, c'est étrange.

Au deuxième, la concierge en discussion avec sa consœur du C accueille le capitaine en désignant un sac-poubelle où jeter le kleenex. Au préalable elle précise qu'on dit gardienne

et non concierge, et que Nunez s'écrit avec un z et non un
s comme le font ceux qui persistent à la vouloir portugaise.
Elle n'a rien contre ce peuple sous-développé mais elle est
espagnole. Son prénom Lynda s'écrit avec un y, et non un
i comme la de Suza qui était sans doute meilleure femme
de ménage que chanteuse. Elle Lynda ne fait pas le ménage,
elle entretient l'immeuble. À ce titre elle s'est lancée dans
le nettoyage de l'escalier avant que les traces de semelles
de l'inconnu ne sèchent. Surtout qu'il avait marché dans
de la terre, et qu'on sait bien que les paillassons c'est pour
les chiens. Les gens ont compris à quoi ça sert ou bien?
Frotte-toi à moi, c'est écrit dessus, elle l'a acheté exprès au
Leclerc de Cran-Gevrier. On dit que plus personne ne lit,
eh bien c'est vrai.

— De la terre?

— Oui. Et la terre mouillée, bonjour les dégâts.

Comme elle dit toujours, la pluie c'est la plaie. Les
Indiens qui dansent pour faire pleuvoir doivent avoir le
ciboulot déglingué par l'eau-de-vie. Tant qu'à déranger
Dieu pour des questions de météo, autant lui réclamer du
sec. Cela dit elle s'abstiendra de le faire. Elle se réserve pour
des demandes plus vitales. Dieu n'est pas une armoire à
pharmacie, disait son père plâtrier. Il faut ne s'en remettre
à Lui que pour l'essentiel: la santé, les enfants, la santé des
enfants. Le reste elle s'en occupe avec ses petites mains.
À trop Lui demander vous lasserez Sa bonté. L'an dernier
elle a prié pour que son fils obtienne son brevet des collèges,
c'était trop demander, il ne l'a pas eu. L'année suivante elle
s'est dit n'abusons pas, elle n'a pas prié, et il l'a eu. Dieu a

sa cohérence. Ses voies ne sont impénétrables qu'aux yeux des mécréants.

Le capitaine en prend bonne note mais aimerait revenir sur le monsieur aux semelles sales. Madame Nunez répète, sans lassitude apparente, plutôt un soupçon de plaisir, celui de se rendre utile, ou intéressante, ou de divertir son chagrin, qu'elle n'a vu que son dos et ses pieds. Son dos quand il s'est engagé dans l'escalier, ses baskets noires quand il est redescendu cinq minutes plus tard, alors qu'elle s'écorchait les genoux sur le palier du deuxième. Ce n'est pas un habitant de la résidence, par professionnalisme elle les connaît tous. Le diable sait comment il a pu entrer. Le cœur de la pauvre Jeanne battrait encore si le digicode n'était pas un secret de Pochinelle.

— Poli.

— Exactement, voilà.

En réunion de copropriété, elle a proposé qu'on change le code chaque jour. Les résidents ont jugé que ça multi-pliait les transmissions d'informations et donc le risque que les quatre chiffres s'ébruitent. Elle l'a concédé, en souvenir de son oncle carreleur qui disait : pas de remède qui ne crée un nouveau mal. Il y voyait la principale raison pour laquelle l'humanité ne progresse pas.

Le capitaine en prend bonne note mais aimerait accessoi-rement lui faire confirmer qu'elle a quitté la loge pendant le générique de Derrick, c'est-à-dire, vérification faite dans Télé Poche par le brigadier Calot, vers 17 h 15. Elle confirme. Elle n'en rate jamais un épisode, même si la lenteur de l'inspecteur allemand lui tape sur les nerfs. De toute façon à cette heure les programmes ont l'air fabriqués pour anesthésier les vieux des maisons de retraite et qu'ils n'embêtent personne. Dieu la préserve de finir là-dedans. Au moins Jeanne ne connaîtra jamais cet enfer.

Le capitaine s'en réjouit et invite madame Nunez à valider ou non un résumé grossier des faits connus d'elle. 1 Peu avant 17 h 15, un inconnu prend l'escalier. 2 Peu après 17 h 15, elle salue Jeanne Deligny en sortant de sa loge. 3 Vers 17 h 20 l'inconnu redescendant la croise au deuxième. 4 Le nettoyage l'amène au troisième où gît le corps. Madame Nunez valide en se signant. Au départ elle n'a pas cru à du sang. Il n'y a que dans les dessins animés que la mer est bleue et le sang rouge. Pourtant c'en était. Jésus Marie, elle n'aurait pas eu trop de dix éponges pour nettoyer ce carnage. Elle a fait au mieux, au moins pire. Son grand-père maçon disait : la vertu c'est faire ce qu'on peut. Le vice c'est faire moins que ce qu'on peut. Lui il ne pouvait plus grand-chose le malheureux. Une chute de chantier à trente ans et le reste de sa vie en fauteuil. Aurait mieux fait de mourir sur le coup. Au moins Jeanne a eu cette chance.

Relevant une feuille de son carnet, Calot signale au capitaine que pour l'instant seuls ont été interrogés les habitants du présent immeuble dans une résidence qui en compte six : le A comme abricot, le B comme banane, le C comme cerise, le D comme datte, le F comme fraise et il n'a pas trouvé de fruit en E.

— Écureuil ?

— C'est pas un fruit.

— À ce stade de l'enquête, aucune hypothèse n'est à exclure.

Il ajoute qu'un individu d'âge mûr s'est présenté de lui-même en se prétendant, je cite, en possession d'éléments déterminants. Il exige de parler, je cite, à la capitaine et personne d'autre.

Elle ne relève pas l'incorrection grammaticale. Nul civil n'est censé savoir que capitaine ne se décline pas au féminin. Ni général. Ni aucun grade. Même les pros se trompent, et parfois exprès, par misogynie ou par bêtise si tant est qu'elles soient distinctes. À la brigade criminelle de Lyon, des gros malins l'appelaient la capitaine Brune. Ça correspond, justifiaient-ils en pointant la couleur alors encore naturelle de sa coupe au carré. C'est en partie pour leur coudre la bouche qu'elle s'est teinte en rousse. En partie seulement car elle avait déjà compris que rembarrer les gros nazes les encourage.

Le corps glissé dans une housse scellée étant à l'instant évacué par l'escalier, le capitaine emprunte l'ascenseur dont la glace révèle que son bouton de fièvre a atteint une taille susceptible d'entacher son autorité. L'extinction du 2 allume le 1, elle n'aura pas le temps de le percer.

Dans le hall, le gendarme arrivé le premier sur les lieux lui rapporte la décision du procureur d'ouvrir une instruction pour meurtre et d'attribuer l'enquête au SRPJ d'Annecy, auquel beau joueur il souhaite une bonne enquête.

Le capitaine promet qu'elle sera bonne.

Le témoin volontaire attend à l'extérieur sous un parapluie inutile. Redingote ouverte sur un costume rayé, la soixantaine droit dans ses bottes, il anticipe sur le protocole en déclinant son identité, nom Supin prénom Albert, haut-savoyard depuis treize générations. Puis s'assure qu'on lui garantira l'anonymat si d'aventure son témoignage, dont le caractère sulfureux lui vaudra des inimitiés, donne lieu à une déposition. Étant bien entendu que s'il n'était pas absolument certain de ce qu'il avance, il s'interdirait de rogner sur le temps précieux des forces de police. Les faits qu'il va rapporter par civisme sont avérés. Habitant le quartier Notre-Dame-de-Liesse, à trois encablures de là selon ses termes, il est on ne peut mieux placé pour en savoir davantage que quiconque sur la pharmacienne.

Le capitaine doute qu'une épouse de pharmacien mérite ce titre mais invite à poursuivre.

Que madame le capitaine en soit avisée : l'essentiel de ce qu'il a jugé opportun de faire connaître à qui de droit tient en une poignée de mots. Pas plus de six. Sept, en dernière extrémité. Les mots sont les suivants : la pharmacienne avait la langue bien pendue.

— Appelons-la madame Deligny, si vous le permettez.

— Maintes fois je l'ai vue remonter la rue Royale, et croyez-moi elle avait la langue bien pendue.

— Elle était bavarde ?

— Elle avait, littéralement, la langue bien pendue.

— Vous pensez que sa mort a trait à cette caractéristique ?

— Sa mort a trait, chère madame, aux maintes verges qu'elle a sucées.

En vingt-deux ans de métier, le capitaine est passée

experte dans l'art de retenir une première réaction. Il suffit d'éviter que la première réaction soit la première. Puis de tenir le cap du neutre aussi longtemps que dure le silence imposé par monsieur Supin Albert, entrepreneur à la retraite, veuf de Supin Marie-Dominique, née Wunenberg.

Après dix secondes ou dix minutes, il reprend. La pharmacienne ayant, comme déjà dit, gobé force queues, il semble imprudent de confier la direction de l'enquête à un officier de police judiciaire qui se trouve elle-même posséder une bouche susceptible de prodiguer des faveurs licencieuses à une partie conséquente de la population masculine.

L'auriculaire du capitaine titille sa commissure gauche où le bouton a encore grossi. Elle prend acte de cette doléance citoyenne et demande si le témoin détient d'autres informations cruciales. Réalisant que la pluie a cessé, monsieur Supin referme son parapluie, retourne sa montre à gousset, se compose un sourire amène qui signifie non.

— Auriez-vous quelqu'un à recommander au procureur pour me remplacer?

— Ce serait outrepasser mon rôle. Mais disons si possible un homme. Pour peu qu'il ne soit pas sodomite.

— Même passif?

— La perversion ne se divise pas.

— Nous y veillerons. Merci.

— Je vous en prie, chère madame.

Albert Supin repart du pas leste de qui a accompli son devoir. Le capitaine profite du rétroviseur extérieur d'une des Peugeot de fonction pour piéger le bouton entre deux ongles. Ça saignera un temps mais rehaussera sa crédibilité.

Calot s'en veut de surprendre sa supérieure dans cette posture. Elle s'étonne de sa gêne. Depuis quatre ans qu'ils bossent ensemble, il devrait savoir qu'elle n'a aucune pudeur. Pas de ce genre, en tout cas. La vraie pudeur se moque de la pudeur, a dû dire un oncle de madame Nunez.

— On prend sa déposition, capitaine ?

— Absolument. Sans faute. Toutes affaires cessantes. Et juste avant vous lui coupez les couilles.

Calot hésite à le noter sur son carnet. Elle précise : dans cet ordre, surtout. Un, coupage de couilles au sécateur, l'une après l'autre, bien lentement. Deux, déposition.

Calot ne saisit pas bien.

Trois : enquête de voisinage.

4

Le café du Canal est le seul d'Annecy nanti d'une télé, autant que le capitaine le sache. Entamant le rillettes-cornichons qui fera son dîner, l'initiative lui paraît peu commerçante. Si les gens ont envie de télé, ils ne vont pas au café. Raisonnement implacable qu'annihilent les cinq du comptoir rivés à l'écran suspendu où Bruno Masure ouvre son 20 heures sur la fuite de Khaled Kelkal après un échange de tirs. Au moins dans cette affaire les flics savent qui ils cherchent. C'est moins angoissant. Moins excitant. Elle en veut beaucoup aux scénaristes de Columbo de lui mâcher le travail en ouvrant l'épisode sur le criminel à visage découvert. Chaque fois elle se jure de sauter le début du suivant pour débarquer sur la scène de crime en même temps que le lieutenant à l'imper, pas mieux renseignée que lui pour égrener ses premières déductions. Primo, l'agresseur est monté directement au troisième, donc savait où Jeanne Deligny habitait, donc l'a fréquentée ou épiée ou les deux. Deuzio, de la certitude que l'agresseur a précédé l'agressée dans l'immeuble s'infère qu'il l'a vue se garer, et donc attendue à un endroit d'où le parking soit visible.

Ce que confirme le brigadier Calot en s'adossant à la moles-
kine de la banquette : le parterre qui flanque l'immeuble B
comme banane est piétiné d'empreintes correspondant à
des baskets de marque Adidas.

— Ou comme brugnon.

En revanche l'arme du crime demeure introuvable malgré
les recherches intensives menées prioritairement autour du
canal du Thiou. Si l'individu a comme de juste voulu s'en
débarrasser, l'eau lui tendait les bras, si tant est qu'un canal
ait des bras. Hypothèse fondée sur une étude du laboratoire
en criminologie de Grenoble : une arme blanche retrouvée
l'est dans un rayon d'en moyenne cent vingt-trois mètres.

— Vous avez un kleenex ?

Célibataire et peu festif, Calot consacre ses dimanches à
étudier les crimes et délits répertoriés en Haute-Savoie et
Savoie sur la dernière décennie pour en tirer des statistiques
moins inutiles que rigoureuses.

Dans l'écran suspendu Boris Eltsine accueille Bill Clinton
à la descente d'un Boeing.

Calot prévoit qu'au rythme assuré par l'équipe, tous les
habitants de la résidence Olympe auront été interrogés
avant minuit. De ce coup de peigne fin, on escompte des
révélations, car l'arrivée prématurée de la victime, libérée
de son travail une demi-heure plus tôt, laisse supposer que
l'agresseur, appelons-le X, a anticipé cette approximation
en prenant son poste d'observation dès 16 heures. Ce qui
augmente son temps de planque et donc d'exposition.

— Or personne ne l'a vu.

Anomalie que Calot corrèle à la pluie. À l'heure supposée

des faits, personne ne traînait sur son balcon, ou à sa fenêtre puisque 78 % des fenêtres de l'Olympe ne sont pas prolongées en balcon. Sans parler des résidents absents, soit qu'ils comptent parmi les nombreux médecins, avocats, commerçants aisés que l'appât du gain lève tôt et ne libère qu'à 20 heures, soit qu'ils relèvent de la catégorie retraités rentiers actuellement en villégiature dans les hôtels néocoloniaux d'Asie et du Maghreb, ce qui fait une flopée d'appartements inoccupés six mois par an pendant que les neuf mille trois cents SDF recensés en région Rhône-Alpes se les gèlent.

— On se calme, Jean-Étienne. On n'est pas à la fête de l'Huma.

La mention de ce prénom fait immanquablement taire celui qui le porte comme un boulet depuis vingt-sept ans. Le coup est bas car a priori il n'y est pour rien. Certains naissent mongoliens, d'autres Jean-Étienne. Or contre toute rationalité le capitaine n'arrive pas à se départir du sentiment qu'on l'a ainsi prénommé en châtiment d'une faute.

Reste que personne n'a vu personne.

— À ceci près que quelqu'un a vu quelqu'un.

Information dont Calot postule qu'elle n'intéresse pas l'enquête, allumant chez sa supérieure l'immédiate envie qu'il la communique. Voilà : l'occupante unique de l'appartement 12 du bâtiment C comme coing, retraitée et rentière pardon d'insister, a vu un homme s'attarder sur une passerelle située cent mètres en aval de la résidence, au plus fort de la pluie, peu après l'heure supposée du crime. Ce serait une piste si son signalement, la cinquantaine, barbe fine, gabardine noire, casquette anglaise, ne correspondait point par point à celui de Charles Deligny, époux de Jeanne Deligny née Luciano.

— Et alors?

— Et alors c'est son mari quoi.

— Un mari ne tue jamais sa moitié?

— Ce jamais est statistiquement irrecevable.

— Donc on sait ce qu'il nous reste à faire.

Calot sort une pastille Vicks en signe de désaccord. Le capitaine connaît bien son Jean-Étienne. Un désaccord, une pastille.

— Aller embêter Deligny trois heures après l'assassinat de sa femme, c'est rude.

— S'il est l'assassin, c'est tout sauf rude.

— Il avait l'air bien secoué tout à l'heure.

— Kennedy avait l'air bien secoué après la mort de Marilyn.

— C'est lui qui l'a fait tuer?

— Vous êtes le seul à l'ignorer.

Autre pastille.

— Dans le doute on peut attendre demain.

— S'il est coupable et qu'on ne l'interroge pas tout de suite, c'est une faute professionnelle.

— Et s'il est innocent et qu'on l'interroge maintenant, c'est quoi?

— Du sadisme.

Ils traversent le parking accablé par la pluie. Dieu la maudisse, a dit madame Nunez avec un z. La Clio de la

37

victime, passée au crible une heure plus tôt, n'a pas bougé. À un moment il faudra lui faire un sort. La garder sera douloureux, la vendre une trahison.

Une bâche marron épargne à qui passe au troisième la vue des taches sur le mur. Fors ce détail et l'ascenseur condamné, rien ne laisse penser qu'ici en fin d'après-midi quelqu'un s'est vidé de son sang. Le capitaine presse le bouton de sonnerie de son index le plus délicat.

— C'est quoi une casquette anglaise?

— C'est genre Sherlock.

Elle se demande si pour tuer elle choisirait un palier. À première vue, risqué, mais finalement moins exposé qu'une rue, et moins traçable qu'un intérieur. Pas si bête en fait. Pour l'heure rien n'indique que l'auteur soit un génie ou un crétin.

La porte en bois verni s'ouvre sur Béatrice Tosquel, venue soutenir son frère Charles. Elle dit : soutenir. Elle n'ajoute pas : dans cette épreuve, mais le mot est écrit partout. Dans l'inclinaison de sa tête. Dans ses mains jointes au niveau du nombril. Dans le chuchotement injustifié pour dire qu'elle prévient Charles qui se repose à côté.

Le capitaine ne saurait dire si c'est en quête de détails parlants ou pour coller à son rôle qu'elle scrute le plafond, effleure d'un doigt une rangée de livres, avance un pied sur le balcon, jette un œil dans la cuisine où la fille Deligny verse une brique de lait écrémé dans un grand verre gradué. Tout à l'heure le capitaine l'a vue ouvrir un cahier de classe sur la nappe cirée de la loge où la concierge pleurait à sa place. Quelque chose comme quatorze ans et les cheveux noirs rassemblés par une barrette. Postée devant le plan de travail, elle dit qu'elle fait de la pâte à crêpes car c'était prévu. Il faut faire comme c'était prévu, sinon ce qui arrive n'est pas probable.

— Vous auriez un sopalin ou l'équivalent ?

— Faut bien doser. Maman sait bien doser. Un dosage c'est au millimètre. Comme le dioxyde de soufre dans une éprouvette. La moindre imprécision fait des grumeaux.

On se mouchera plus tard. Le salon sent le drame. Qui ignorerait le drame ne sentirait rien. L'espace d'une seconde les trois statuettes africaines alignées sur une étagère en verre suggèrent une malédiction abattue sur la famille. Une vengeance ourdie par une divinité nègre contre les pilleurs blancs.

La moitié de fesse posée par Calot sur l'accoudoir du canapé en cuir beige trahit sa gêne de s'introduire dans l'antre du malheur, qu'un de ses habitants en soit ou non le responsable. Informe dans sa robe de chambre écossaise, Charles Deligny s'avachit dans le fauteuil apparié au canapé. Sa mine ravagée est celle d'un coupable ou d'une victime. Calot pense à Kennedy. Rien ne ressemble plus au désarroi du deuil que le désarroi d'avoir tué. Dans les deux cas la mort brute vous saute à la gorge.

Si le capitaine tolérait les métaphores, elle se sentirait marcher sur des œufs. Il va falloir y aller doucement. Avancer en crabe. Demander si Jeanne a montré des signes d'anxiété ces derniers temps. S'enquérir de personnes de son entourage susceptibles de lui en vouloir. Désespérer d'arriver un jour à renouveler le libellé des questions d'usage. Noter par politesse les réponses laconiquement négatives. En venir au fait, au point, au nœud. À l'emploi du temps.

En un minimum de mots, le néo-veuf raconte qu'il a quitté sa pharmacie avant la fermeture comme il en a pris l'habitude depuis qu'il a doublé son personnel. À cinquante-quatre ans il a passé l'âge de se tuer au travail. Il a passé l'âge de tout. Sa sœur pose sur sa cuisse une main qu'il recouvre de la sienne. S'il a tué, il joue bien l'abattement. Ou le joue de bonne foi tant son crime l'abat. Il demande si Didier a été prévenu. Si tel n'est pas le cas il faudra y songer. Il faut veiller sur lui. Il pourrait faire une bêtise en l'apprenant. Parfois Didier fait des bêtises. Calot trouve une page vierge de son carnet pour noter : Didier.

— C'est quelqu'un de la famille ?
— En quelque sorte.
— Didier Deligny ?
— Il n'a pas de patronyme.

On y reviendra. On en était à la sortie de la pharmacie. Charles a décidé de rentrer à pied, sans raison particulière. Juste la bonne humeur. Juste marcher un peu. Avant de retrouver Jeanne, la femme de sa vie.

Il jette un cachet dans le verre que sa sœur, tête inclinée toujours, née dans cette position on dirait, a posé sur la table basse. Le capitaine se demande si un pharmacien se fournit dans sa boutique. Puis s'étonne à haute voix qu'il se soit attardé dehors par un temps pareil.

— J'aime bien la pluie d'automne.

S'il est coupable, cette phrase est un défi.

— Au point de vous attarder sur la passerelle?

S'il est victime, cette question est d'un tortionnaire. Deligny estime inutile d'y répondre. Il parle de ce qui lui chante. Du graffiti sur un pylône qu'il a scruté longuement. Est-ce que ceux qui commettent ces barbouillis en savent la signification? Une vibration de colère devant ce qu'il interprète comme du mépris de classe donne à Calot le courage de la rudesse.

— Si vous aviez à fournir un alibi, vous diriez quoi?

— Je n'ai pas à en fournir.

— Personne n'en est dispensé.

— Moi je m'en dispense.

Il avale d'un trait le contenu effervescent de son verre, puis notifie aux visiteurs que si les impératifs de leur travail nécessaire et vain ne les retiennent plus dans cet appartement, il apprécierait grandement qu'on leur foute la paix, à sa fille et à lui.

Le capitaine n'aime pas cette façon d'enrober sa brusquerie de devoir parental. Ce chantage aux enfants. Prise dans la même situation, dirait-elle mes deux fils et moi? Prise dans la même situation, elle n'aurait même pas ouvert aux flics. Ou alors pour les prier de dégager en les braquant avec son arme de service.

— Est-ce que cette visite efface ma convocation au commissariat demain?

— On vous dira. Merci.

— Merci de quoi?

Pour la première fois son timbre a flanché. Sa douleur est sobre et donc crédible. Plus démonstrative, elle éveillerait la suspicion. À moins qu'il modère la démonstration de douleur pour lever toute suspicion. Calot s'est levé de l'accoudoir comme d'une plaque chauffante. L'objectif est de s'évacuer au plus vite mais un bruit le propulse dans la cuisine. Du verre s'est brisé sur le carrelage. Calot s'accroupit pour réparer les dégâts mais la tante secourable l'a précédé. Cette tâche lui revient de droit. Cette mission. 67 % de la population adulte d'Annecy se déclare catholique ou de culture catholique. Léna tombe en larmes. C'est très grave ce qui vient d'arriver. Ce saladier brisé la meurtrit, la submerge. Il n'y en a pas d'autre de même taille. Seule cette taille convient. Sans cette taille tout est fichu. Elle se reprend. Bloque ses pleurs d'un revers de main. C'est pas grave. On va faire ce qui était prévu. On va ménager le probable. On va ramasser les morceaux et les recoller.

5

Soixante-douze heures après le meurtre, une partie de la cellule d'enquête passe la matinée au Centre hospitalier spécialisé d'Annecy, anciennement Caserne des chasseurs alpins. Répartis en trois groupes d'une unité chacun, les policiers interrogent la directrice générale, deux médecins-chefs, un cadre supérieur de santé, un médecin psychiatre, deux employés administratifs, quatre membres du personnel infirmier, et par méprise un dératiseur. Le brigadier Calot s'interdit de penser que les 26 % qui pleurent en évoquant la morte sont les plus affectés.

Après rassemblement du trio sous le tilleul de la cour, une synthèse des témoignages confirme que, le mardi fatal, Jeanne Deligny a quitté une demi-heure plus tôt. Deux interrogés n'oublieront pas les derniers mots qu'elle leur a adressés. Pour l'un : à demain. Pour l'autre : soigne-toi bien. Rapport à sa gastro-entérite.

Il semble qu'aucun contentieux chronique entre la victime et un de ses collègues n'ait formé un abcès de ressentiment susceptible de crever en agression à l'arme blanche.

Incidemment, il apparaît que la victime était autoritaire

mais souple, solitaire mais sociable, cérébrale mais sensible, allergique au pollen, sujette à l'angoisse du dimanche soir, militante antinucléaire, fan d'Abba. Calot estime à 20 % le gain en capital sympathie provoqué par un décès. Un raisonnement dont il perd lui-même le fil conduit le brigadier Ferrara à penser que la défunte n'était donc qu'à 80 % fan d'Abba. S'ensuit une discussion sur le revival disco, quoique le quatuor suédois ne corresponde pas strictement aux canons du genre. On gagnera à se référer plutôt à Boney M., propose Calot. Ou à une chanson comme Can't take my eyes off you, suggère Ferrara. Trop sentimentale, pense le brigadier Lupin. Trop déchirante. Au bout de trois notes t'es déjà noué, dans le disco c'est pas vraiment le but. D'ailleurs l'original est une chanson de crooner des années 60. Ferrara s'en étonne. Elle sonne tellement disco. Calot dit qu'on est justement en train de lui expliquer que non. Une femme coiffée d'un bob Médecins du monde aimerait savoir où ils ont coffré Momo. Les trois brigadiers ne se rappellent pas avoir placé en détention un individu répondant à ce nom. Ils promettent néanmoins de se renseigner. Calot en profite pour demander à cette petite dame où trouver un certain Didier. Elle dit que Didier ira bientôt au lac. Il lui faudra des palmes et des bouteilles et un tuba et des bulles. Est-ce qu'ils l'accompagneront là-bas ? Est-ce qu'ils seront encore là au Jugement dernier ?

Lupin ne peut rien promettre.

Ferrara non plus.

En parlant la femme au bob a gravé une suite de traits verticaux sur le tronc avec la pointe d'un caillou. Tout est là. Toute la solution de l'énigme. Elle signe G comme Geneviève.

Calot s'approche pour recopier dans son carnet les neuf traits dont il cherchera ce soir l'équivalent dans son dictionnaire des signes ésotériques, édition augmentée.

Dans la salle à manger où elle les a conviés à déjeuner d'un saucisse-purée, Henriette Oury explique que l'association est une sorte de sous-traitant du Centre. Elle offre d'embellir de sorties l'ordinaire passablement morne des résidents. Encore aujourd'hui la psychiatrie consiste surtout à administrer des médocs. Heureusement sur certains la chimie est inopérante. Une fois on a découvert qu'un résident recrachait ses neuroleptiques depuis six mois, personne n'avait vu la différence. Henriette s'étonne au passage qu'aucun n'ait été interrogé. Messieurs les policiers les préjugent-ils incapables de témoigner? Ils pourraient au moins s'entretenir avec Archibald, qui a beaucoup travaillé avec Jeanne. Ferrara s'amuse de ce prénom peu commun. Calot trouve assez immature cette manie de commenter les prénoms. Henriette les accompagnera au fond du parc où le groupe d'Archibald passe l'après-midi. Ça m'occupera, dit-elle. Depuis trois jours toute occupation est bonne à prendre. Hier elle a classé ses cassettes VHS dans l'ordre alphabétique. Ce soir elle pense donner le bain à Émile.

— Votre fils?

— Mon chat.

À la remise des plateaux, un rasta de type subsaharien leur confie qu'il a détesté ce repas car les saucisses et la purée étaient excellentes mais surtout le dessert. Henriette signale à Paul-Marie qu'il pourrait dire bonjour. Il dit bonjour messieurs. Les brigadiers disent bonjour Paul-Marie. Lise qui lui tient la main se prononce pour la comptabilisation des votes blancs.

Passé la butte verte, un grand type entoure de ses bras un tronc épais comme un fût de cinq cents. Henriette raconte que Didier n'a d'abord pas semblé touché. Jeanne morte ça ne lui évoquait rien. C'est quand on lui a fait comprendre qu'elle ne viendrait plus qu'il est sorti enlacer ce chêne. Henriette dissuade Calot de l'interroger maintenant. On ne s'immisce pas entre l'arbre et lui. De toute façon il n'est pas très loquace.

— Il était là mardi ?

— Il n'y a que lui qui sait où il est.

Calot reporte cette réponse sur la page de son carnet dévolue aux déclarations équivoques.

Au fond du parc, deux piquets orphelins et une raquette prise dans les fils électriques suspendus composent un reliquat d'activité badminton. Un vingtenaire s'égosille à expliquer à une femme deux fois plus âgée que jeter sa raquette en l'air n'est pas la meilleure méthode pour jouer. Elle chante en anglais sur une note. Ferrara croit reconnaître les paroles d'I feel love. En voilà un, de standard disco. Trop techno, tranche Lupin.

Enroulé dans le filet, un individu de type maghrébin vient serrer la main au trio de brigadiers que cette marque de civilisation rassure. Caressant la tonsure précoce de Calot, il note que ceux qui ont perdu la tête finissent par perdre leurs cheveux. Lui s'en fiche car il a les cheveux frisés comme sa mère car il est le fils de sa mère et d'un marteau. Bing.

Le brigadier Ferrara ignore s'il est d'usage de proposer un mouchoir à ces gens pour qu'ils s'essuient le menton baveux. Dans le doute il s'abstient.

Archibald doit préciser qu'en trois mois il n'a pas pu bien connaître Jeanne. Il gardera le souvenir d'une femme dévouée aux résidents. Il lui sait gré de lui avoir attribué ce poste sur la seule foi d'un stage au Samu social de Lyon. Par égard pour la défunte et un peu pour prévenir les tracas que pourrait lui causer pareille confidence, il expurge de son témoignage les remarques vexantes qu'elle lui balançait, pour rire disait-elle et ça le vexait doublement.

Hugues demande aux policiers de coller l'oreille à son transistor réglé sur RTL. C'est Calot qui s'y colle. Kelkal aurait été achevé à terre par un gendarme. Hugues entend déjà l'allocution du ministre : les forces de l'ordre ont tiré en situation de légitime défense. Toujours le même argument. L'argu ment. L'argu ment ! Pour en finir avec les manipulations, Hugues instaurera un nouveau système juste avant Noël. Dans son nouveau système qu'il instaurera juste avant Noël, les riches donnent aux pauvres qui utilisent l'argent une semaine puis le redonnent à d'autres pauvres qui font pareil. Le citoyen le plus doué aux échecs est désigné dirigeant 1er. Si un autre le met mat, il prend sa place. Voilà son nouveau système qu'il instaurera juste avant Noël. Sorti de nulle part, Didier renverse Hugues et se le cale sous le bras comme un tapis roulé. De près il est encore plus grand. Pieds d'ogre dans des tongs orange. Ongles longs recourbés sous les orteils. Reposé à distance inoffensive, Hugues donne rendez-vous à Noël ou juste avant.

Calot s'enquiert des raisons pour lesquelles ces personnes se retrouvent ici. Il n'ose pas dire ces fous. Archibald l'y invite. Lui aussi au début tournait autour du mot comme d'un pot. Jeanne l'a décomplexé: fou est encore le plus respectueux, du moment qu'on admet que chacun peut l'être. Elle a ajouté: mais ne va pas me faire dire que les fous sont des gens comme les autres, c'est l'inverse. Depuis, Archibald cherche ce qu'est l'inverse. Encore la semaine dernière il s'est promis de le demander à Jeanne. Il ne saura pas.

Lupin met les pieds dans le plat que contournait Calot: est-ce que certains sont psychopathes?

Archibald lui passe l'usage approximatif du terme, préférant expliquer que par ici ce lexique n'a pas cours. On peut toujours dire schizophrènes, dépressifs paranoïaques, obsessionnels, autistes, concrètement ce n'est pas à ça qu'on a affaire. Le quotidien se coule dans une zone inférieure, moléculaire si on veut. En juillet un résident recourbait chaque soir la tête de sa brosse à dents jusqu'à la rendre inutilisable, on a cru à un tempérament autodestructeur avant de comprendre qu'il s'en servait pour bourrer sa pipe et tasser le tabac. Vous voyez?

Lupin voit surtout qu'il n'a pas eu de réponse claire. Ces gens sont dangereux oui ou non?

— Vous voulez savoir si certains pourraient par exemple taillader le visage d'une femme?

— Par exemple.

— Ni plus ni moins que vous et moi.

Ferrara a tilté sur schizophrène. C'est pas un peu dangereux ça schizophrène ? Au tour d'Henriette de hausser les épaules. L'étiquette embrasse un spectre large de comportements. Un résident ainsi diagnostiqué lui a dit une fois que des gens de sa trempe ont des paraboles qui captent les désirs de Dieu pour les réaliser sur Terre. Son problème était qu'il captait aussi les désirs des humains. Un soir il a capté puis exécuté le projet d'un autre de tuer un pompier. Au procès ils l'ont déclaré irresponsable et c'était vrai. Au Centre c'est vite devenu une blague : quand il déglinguait une rampe ou mangeait sa merde, on le traitait d'irresponsable.

S'accordant d'un regard mutuel sur le fait qu'une piste s'ouvre, les brigadiers demandent si ce monsieur habite encore la région et s'il est susceptible de connaître l'adresse de Jeanne Deligny. Henriette dit qu'une seule réponse vaudra pour les deux questions car ce monsieur s'est pendu en 1991 sur la probable suggestion d'une voix céleste.

— Et y en a jamais aucun qui s'échappe ?

— On n'est pas exactement une prison.

Archibald révèle à ses visiteurs éberlués que les résidents sont souvent autorisés à descendre en ville faire une course ou boire un verre.

— Donc tous pouvaient être dans la nature mardi dernier ?

— Tous, ça se serait vu.

Archibald hésite à mentionner les fréquentes fugues

nocturnes de Didier et ses retours à l'aube, pantalon crotté et feuilles dans les cheveux. Ou un merle mort sur l'épaule. Est-ce à dire que ce fait itératif lui apparaît pertinent pour l'enquête ? Qu'il accrédite en quelque manière l'image de Didier égorgeant Jeanne qui vient de taper sur sa rétine, comme produite par son hésitation ?

Le Didier en question étant retourné auprès de son arbre, Hugues s'approche demander aux policiers s'ils seraient d'accord pour assurer la protection du dictateur de son système de juste avant Noël car beaucoup voudront prendre sa place sans passer par une partie d'échecs. Archibald prend le ton paternaliste qui agaçait Jeanne et qu'il désespère de perdre pour aviser Hugues que ces messieurs ont une mission plus urgente. Hugues s'éloigne en maugréant. On peut jamais compter sur les policiers. On se demande à quoi ils servent.

6

Après son service, Archibald trouve une partie de l'équipe dans le bureau du comité hospitalier. Henriette lance une collecte pour la gerbe, chacun donnera à proportion de sa paye. À proportion Archibald pourrait donner dix, il donne vingt.

La veille, l'assistante sociale Annick a levé les doutes quant à l'opportunité d'une gerbe dans le contexte d'une crémation. Sa tante est partie de cette manière, partie en fumée on va dire, et il y avait des gerbes.

Le catalogue des pompes funèbres de la rue Camille-Dunant passe de main en main. Pour le ruban Henriette propose de faire sobre. Elle a une préférence pour À notre amie. Le chef de cuisine Daniel estime que c'est plus froid que sobre. Au milieu de la page 6, il pointe la photo d'un ruban À notre amie que nous n'oublierons jamais. L'infirmier Fred trouve que la succession nou-nou heurte l'oreille. En plus ça ressemble à C'est toi que je t'aime, la chanson des Inconnus, est-ce l'effet recherché ? D'après Henriette on peut proposer des formulations hors catalogue moyennant un supplément. Patrick suggère À notre ami qu'on n'oubliera jamais. L'avis général est que c'est trop familier. Et puis À notre ami qu'on, c'est moche. On entend À notre ami con.

À notre ami reprend la corde.

À notre amie, fait valoir Archibald. Manquerait plus qu'on oublie le e. Autour du bureau couvert de tasses de thé s'imagine pour rire une méga faute d'orthographe en plein milieu de la gerbe. La honte pour l'équipe. Tu connais le Centre ? Paraît qu'ils sont tous analphabètes là-bas. Annick aimerait personnaliser la phrase. Genre À notre amie Jeanne. Voire À notre Jeanne. Annick tique sur le possessif. C'est pas notre Jeanne, elle est pas à nous, encore moins maintenant. L'infirmière Mathilde propose une virée au cimetière pour recenser les usages, déclenchant une surenchère de projets loufoques parmi lesquels voler une gerbe dont la formule conviendrait à leur cas.

Nul n'ose s'étonner que Jeanne ait anticipé sa mort au point de spécifier l'incinération. Ni n'ose supputer, même par-devers soi, qu'elle pressentait quelque chose, cachait une maladie grave, avait reçu des menaces, travaillait pour la DST. Jeanne avait ses raisons qu'elle emportera au ciel ou ailleurs. Henriette dit : il y a des gens à qui il importe de gérer l'après et d'autres non, c'est comme ça. Fred dit l'après quoi ? La tante d'Annick répétait qu'elle ne voulait pas infliger aux vers son corps puant. Et puis comme ça on libère de la place. Un dernier service rendu aux vivants. Patrick avoue que la méthode le tente bien. L'inhumation l'étouffe d'avance. Henriette observe qu'a priori il ne devrait pas sentir grand-chose. L'aide-soignante Yvonne a l'impression qu'en se réduisant en cendres on se ferme toutes les chances. Fred dit les chances de quoi ?

Archibald regrette d'avoir raté le moment où chacun a dit s'il assisterait à la cérémonie. Il aurait glané des éléments pour saisir la règle tacite en la matière. Savoir si elle l'autorise ou non, l'oblige ou non. C'est son premier décès non familial, à vingt-trois ans sauf accident de scooter les copains n'ont pas encore commencé de mourir. Au moins avec sa grand-mère ou sa sœur trisomique, c'était clair, sa présence à l'église requise. Depuis trois jours ses conjectures sur le sujet squattent le recoin cérébral dévolu à la peine. La peine toute nue ce sera pour plus tard. Ou pour jamais. Peut-être qu'en fait on oublie les morts. Il verra bien.

Il s'offre un rab de douze heures de réflexion en disant à Henriette qu'il sera au crématorium s'il sort à temps d'un rendez-vous chez le radiologue. Pour une radio de quoi, s'enquiert-elle dans la voiture. Les lèvres d'Archibald optent pour le genou. Le ménisque. Douleur au ménisque. Trop de tennis. Surface dure. Logique. Henriette l'approuve de s'en occuper avant que ça empire. Tout gros problème est un petit souci qui n'a pas été traité. Mentalement Archibald doute de l'adage. Son acné a été d'emblée un gros problème, sans passer par la case petit souci. En le lâchant à l'arrêt de bus Henriette dit à demain j'espère, il dit oui j'espère aussi.

À 2 heures du matin, le débat agite encore le lit étroit de sa chambre de cité U. À partir de quel degré d'intimité est-on légitime pour assister à un enterrement, fût-il sans terre ? Il n'a vu Jeanne qu'une fois en dehors, au méchoui de l'association. Ils ne sont passés à la bise qu'en septembre.

Et puis est-ce qu'elle aimerait qu'un type qui l'agaçait se recueille devant son cercueil?

Il se lève allumer sa lampe de bureau. Sur la page de garde d'un essai d'ufologie, il liste en colonne les collègues présents demain et affecte à chacun un chiffre de 1 à 10 en fonction de sa proximité avec la morte. L'exercice ne dégage aucune loi générale. Mathilde n'y sera pas alors qu'elles fréquentaient le même cours d'aérobic – proximité de coefficient 5. Albert y sera qui n'a jamais échangé plus de trois phrases avec elle. Albert est catholique. Pour un catholique tout humain est un semblable. Mais dans ce cas pourquoi accompagner untel plutôt qu'untel parmi la foule des cadavres?

Au milieu de la nuit il ressent une douleur au genou. Peut-être même au ménisque.

Son humeur au réveil le mène sur un banc des jardins de l'Europe. Il en déduit que la nuit lui a porté le conseil de se promener en ville en attendant de retrouver au Centre ceux qui auront assisté au truc. Or ses jambes fébriles l'orientent vers un arrêt de la ligne 32 dont le terminus est le cimetière de Loverchy en face duquel s'impose le parallélépipède sans âme du crématorium. Il suppute qu'en un combat nocturne la gêne de se désister a supplanté celle d'en être. Quoique la présente fermeté de son pas l'avise que sa décision était prise depuis au moins la veille. Depuis le coup de fil d'Annick mardi soir. Elle a dit Jeanne est morte puis a posé le combiné pour apaiser un bébé en pleurs.

Surélevé par un socle en faux marbre, le cercueil est égayé d'une photo de la morte essorant ses cheveux noirs sous un soleil de plage, peau cuivrée et visage intact. La cérémonie a commencé, ou ce qui en tient lieu. Une trentaine de personnes écoute Charles Deligny posté derrière un pupitre. Il ânonne qu'il sait qu'elle ne l'entend pas et cependant il lui parle. Il s'excuse pour cette absurdité mais cette mort est absurde. Qu'une femme comme toi s'en aille alors que des gens malfaisants vivent centenaires est absurde. J'espère que tu m'attendras. C'est tout pour moi.

Son tour venu, Yvonne déplie une feuille à petits carreaux noircie d'un hommage rédigé à plusieurs mains. Elle s'est dévouée pour le lire. Elle en avait un peu envie aussi. Les phrases disent que même si Jeanne officiait comme intervenante extérieure, chacun la considérait comme un membre à part entière de l'équipe. Son énergie et l'affection qu'elle portait aux résidents ensoleillaient les journées, surtout en hiver. Sans parler des cookies faits maison dont tu nous régalais. Et puisque tu aimais tant danser, laisse-nous te dédier les paroles de ta chanson préférée. Merci à Patrick qui les a traduites. C'est toi la reine. Pardon : c'est toi la reine de la danse. Jeune et adorable et seulement dix-sept ans. Toi la reine de la danse tu sens le battement du tambourin. Tu peux danser, tu peux t'amuser, tu peux profiter de la vie. Regardez cette fille, contemplez cette scène, admirez la reine de la danse. Comme ses larmes ont liquéfié la lecture du refrain, Annick zappe le deuxième couplet. On applaudit pour meubler, comme aux César quand une actrice sanglote de joie.

Henriette qui prend le relais commence par dire que Jeanne avait certes plus que dix-sept ans mais tellement moins dans sa tête. Elle va lire un petit texte de Didier dont elle informe à ceux qui ne le connaissent pas qu'il a intégré le Centre parce que son autisme n'était plus vivable à l'extérieur. L'écriture de ces quelques mots lui a demandé un effort énorme. Qu'il en ait pris l'initiative seul donne la mesure de son attachement à Jeanne, qui était réciproque, malgré qu'elle mettait un point d'honneur à ne pas montrer de préférences entre les résidents mais forcément elle en avait car on en a toujours et c'est bien normal et ça ne veut pas dire qu'on néglige les autres. Voici : Quand Jeanne est dans le parc, le parc est beau. Quand Jeanne est devant l'arbre, l'arbre est petit. Quand Jeanne est dans le matin, le matin est court. Quand Jeanne n'est pas dans le soir, le soir est long. Merci.

Comme convenu, la sœur de la disparue active la chaîne hi-fi de marque Pioneer dont l'enceinte unique crachote Dancing Queen. Albert ne se rend pas compte qu'il bat du pied en songeant que Dieu accueillera Jeanne comme il se doit.

L'homme en costume noir préposé à la séance invite qui le souhaite à passer dans la pièce de recueillement. De l'observation des trajectoires, Archibald déduit que seul le cercle proche assistera à l'incinération. Les autres tâchent de ne pas partir trop vite. Ils se copient pour ne pas commettre d'impair. La somme de leurs hésitations configure un rituel d'au revoir. En général on l'adresse en posant une main sur le cercueil. Archibald adopte cette technique et puis s'en va. À sa suite madame Nunez s'agenouille pour une prière dont le détail est couvert par le final instrumental de la chanson. Annick renonce à l'imiter par pressentiment qu'elle se sentira grotesque. Elle cherche quand même une prière, se rappelle une comptine. Les secondes passées devant le cercueil sont occupées à se demander comment les occuper. La fin de la chanson révèle les toux jusqu'ici planquées sous les notes.

La salle de recueillement est mal chauffée. Personne ne dit que c'est un comble. Ni le mari, ni la sœur, ni le père de Jeanne soutenu par une béquille et son épouse, ni aucun de ceux disposés à accompagner le travail des flammes. Léna suppose que la peau brûlera avant les os. Elle a un doute. La consistance d'une matière n'est pas sa résistance. L'eau résiste au feu. Un humain est fait d'eau à 60 %. Il est improbable que cette eau éteindra le feu. À la fin tout brûlera et partira où ? Quand un aliment est digéré où part son odeur ? Où partent les pensées les sentiments ? Maman aimait les sorbets au cassis, ça part où ? Son projet d'adopter Didier, ça part où ? Son rêve d'un camping-car ? Papa disait : trop encombrant. Et maman : au contraire on bivouaque où on veut. La discussion revenait souvent, que soldait un silence plus ou moins lourd. Le souvenir de cette discorde brûlera en même temps que le foie et les yeux. Les yeux brûlent, sans douleur. Et la langue sans cri. Et la voix ? Où part la voix quand tout se consume ? Son timbre voilé, fluet. Elle disait : j'ai une voix de mémé avant l'heure. L'heure ne viendra pas. Un jour devant la télé elle a dit qu'elle trouvait Christophe Dechavanne mignon. Dans le salon il n'y a eu que sa fille pour l'entendre. Léna est la seule vivante en qui réside une particule porteuse de ce jugement esthétique et si elle meurt à son tour et que cette particule brûle avec le cœur les yeux la voix il n'y aura plus personne pour s'en souvenir et rien n'aura eu lieu. Dans l'assistance la fatigue et l'attente ont eu raison des larmes. Tête inclinée, Béatrice Tosquel s'efforce de penser à sa belle-sœur. À partir de quand c'est de la cendre et non plus de la peau. Rien ne se perd tout se transforme dit le beau prof de physique mais si la peau se transforme en cendre c'est comme si elle se perdait. Ça ne console pas plus que la réincarnation. Si une créature a oublié qu'elle a eu une vie antérieure, cette vie est perdue. La vraie éternité ce serait la réincarnation en se souvenant. On se comprendrait mieux. La jonquille qui a été un ours comprendrait mieux les ours. La mouche qui a été une sainte comprend mieux les saintes. L'homme qui a été une femme comprend mieux les femmes. Ne les frappe plus car ce serait comme se frapper soi. Les égorger serait comme s'égorger. Wilhelm a été une femme dans une vie antérieure. Et maman une biche.

Ils ne sont plus que six lors de la remise de l'urne. Son père laisse Léna la porter, à condition qu'elle fasse attention c'est fragile. Si l'urne est fragile c'est qu'elle recèle des goûts culinaires des fatigues d'après randonnée des souvenirs de films des sensations de baignade. Tout ça ne prend aucune place dans le monde étendu. Tout ça flotte dans le temps.

À la sortie on se donne rendez-vous à l'Olympe où un buffet attend. Il y aura des toasts et du saint-chinian, son vin préféré. Où est partie cette préférence ? L'infini nuancier de la vie compressé dans un monochrome gris. Léna est tentée de soulever le couvercle pour sentir mais son père l'empêcherait et au nom de quoi ? Soit ce ne sont que des cendres et alors oui c'est dégueulasse. Soit c'est maman et alors ça sent bon. Elle marche lentement en serrant fort jusqu'à la Volvo garée en épi. Sa tante lui laisse le siège passager qu'elle refuse. Personne ne veut de cette place. Les urnes non moins que les cimetières sont remplies d'irremplaçables.

Aux pompes funèbres, les diverses options leur ont été notifiées par un monsieur qui parlait bas pour ne pas réveiller les morts. Il a chaudement recommandé la sépulture cinéraire. L'urne serait déposée en terre ou dans un caveau spécifique, ou bien encore insérée dans une pierre du souvenir, avec plaque et photo. Rien ne les a séduits. Ils préfèrent la ramener chez elle.

7

Déposé sur le bureau du capitaine Brun six jours après les faits, le rapport d'autopsie corrobore les premières conclusions quant à l'unicité de la lame fine à l'origine des lésions constatées. Impossible en revanche d'établir si le visage a été atteint avant la carotide ou vice versa. Le capitaine persiste à le regretter. La première intention n'est pas un détail.

L'expertise médico-légale évalue à une minute le temps écoulé entre la section de l'artère cervicale antéro-latérale et l'arrêt du cœur. La pénurie de récits prodigués par des défunts analogues interdit d'imaginer le degré de conscience de l'agonisante.

L'orientation et l'épaisseur des entailles renseignent sur la latéralité de l'agresseur. Le capitaine s'en réjouit : il suffira de retrouver l'emploi du temps du mardi 27 septembre de tous les gauchers de Rhône-Alpes. Sourd à l'ironie de la proposition, le brigadier Calot calcule qu'il suffira de repérer 14 % de gauchers, moyenne mondiale, parmi 50,4 % d'hommes, moyenne mondiale, soit environ 320 000 individus si l'on se fie au dernier recensement régional. Tout redevient possible, exulte le capitaine. Pour le pistage elle mobilisera quatre cents hommes pendant cinq ans. Et affrétera treize hélicoptères pour traquer les gauchers des forêts.

L'acide acétylsalicylique issu d'un cachet d'aspirine trouvé dans le bol alimentaire entérine les témoignages quant à la migraine ante mortem de la victime. Les traces d'ADN correspondant à celui de Charles Deligny et du voisin du dessus sont jugées non significatives, eu égard à leur passage quotidien sur le palier. L'autre ADN masculin relevé n'est pas répertorié dans la banque de données du fichier national des empreintes génétiques. Quant au nombre et à la variété des fibres humaines dans le périmètre homicidaire, ils n'excèdent pas ceux relevés dans n'importe quelle partie commune d'immeuble.

La piste de l'agression sexuelle est invalidée par l'absence de lésion au niveau de la bouche, du vagin et de l'anus. La brièveté de la scène minimise également la possibilité d'un rapport consenti.

Embrumée par ces éléments destinés à l'éclairer, le capitaine repart du plus petit dénominateur commun de certitudes.

Sur quel socle factuel pouvons-nous bâtir masure qui point ne branle?

De quoi ne saurais-je douter?

Premièrement, que je pose cette question. Je me questionne donc je suis.

Deuxièmement, que le 27 septembre vers 17 h 10 un homme d'âge indéterminé est entré dans l'immeuble B comme brugnon de la résidence Olympe, après s'être posté à l'angle gauche du bâtiment pour guetter l'arrivée de la victime et la précéder dans le hall. Il accède ensuite au troisième étage par l'escalier, la surprend à sa sortie de l'ascenseur, fait ce qu'il fait, s'évacue par l'escalier, repart Dieu sait comment.

Recoupé par aucun autre, le témoignage mentionnant une pétarade de moto cinq cents centimètres cubes vers 17 h 30 n'est pas retenu. Nul témoignage ne la réfutant, la possibilité d'une fuite par les airs est maintenue.

En des termes qui n'engagent qu'elle, le capitaine s'étonne à nouveau qu'aucun putain d'habitant de ce quartier de trous du cul n'ait aperçu un bout de couille de ce connard en maraude. Vivement l'instauration de la vidéosurveillance bordel de merde.

Calot concède que sa mise en place dans certains États d'Amérique a entraîné une baisse de 6 % de la violence sur les personnes, mais il gage que le pays des droits de l'homme prohibera durablement un dispositif d'essence liberticide.

La foi patriotique de son subordonné donne au capitaine envie de sortir peindre une fleur là tout de suite sur la façade de l'antenne de police judiciaire.

Calot cale une pastille Vicks sous son palais.

Sa supérieure le tire de sa bouderie à la menthe en prévoyant que de toute façon l'avenir proche tranchera net, et on sait dans quel sens, le dilemme entre un monde inhumain sécurisé et un monde humain insécure. Pas d'humanité, pas de crimes : chacun se rendra à cette solution puisque chacun a peur. Si l'agresseur avait été un chien, il n'aurait pas tué Jeanne. Il lui aurait reniflé les fesses et serait reparti

guilleret. Pas d'humanité, pas de crimes. Une planète peu-
plée de canidés sans vice. De bigorneaux.

Cette anticipation aventureuse ne déridant pas Calot,
le capitaine propose un charge-décharge. Jeu coutumier
entre eux pendant les heures de planque, avant qu'elle s'en
fasse dispenser par sa hiérarchie en arguant, impénitente, de
l'anxiété de ses fils lorsqu'elle passe la nuit dehors. Auprès
des galons, toujours faire valoir des problèmes de mère, ils
n'y connaissent rien, n'en veulent rien connaître, gobent
tout.

Un lancer de fléchettes aveugle confie à Calot la décharge.
Rôle taillé pour lui. Innocenter lui va, et si possible tous
les humains dès lors égaux et fraternels et le capitaine en
soupire d'avance. Quel ennui ce serait.

Donc charge-décharge.

Dans l'état actuel de leurs connaissances, de leur ignorance, la liste des coupables potentiels recoupe celle des
Terriens, moins les paraplégiques et les grabataires inaptes
aux escaliers. Bien que rien n'indique une intimité entre
l'agresseur et l'agressée, les deux joueurs conviennent de se
restreindre d'abord au cercle des familiers.

On commence par le mari.

— Charge : vu au canal peu après le crime.

— Mais pas aux abords de l'immeuble.

— N'a montré aucune surprise à la découverte du corps.

— Le choc émotionnel projette dans un au-delà de
l'émotion.

— Pas très coopératif lors de sa déposition.

— Il n'y a pas plus coopératif qu'un assassin.

— Aucun alibi.

— Tout assassin s'arrange pour en avoir.

— Il ne s'est pas donné d'alibi afin de ne pas passer pour l'assassin.

Pause méditative. Reprise.

— Les écoutes n'ont relevé aucun propos suspect.

— Il sait qu'il est écouté.

— Certains écoutés se trahissent.

— Il est intelligent.

— Ça ne le met pas à l'abri de la bêtise.

— Les amis présentent le couple Deligny comme très soudé.

— Seul un couple sait ce qui se passe dans un couple.

— Un couple en crise, ça se voit.

— Un couple qui ne couche plus, personne ne le voit.

— Si la fin du sexe était pousse-au-crime, beaucoup de couples s'entretueraient.

— Beaucoup de couples s'entretuent.

— Il ne l'aurait pas tuée sur leur palier.

— Il l'a tuée sur leur palier pour que ça ne ressemble pas à un crime conjugal.

— Le signalement du visiteur ne correspond pas au sien.

— Il a pu se déguiser.

— Dans ce cas tout est possible.

— À ce stade même l'impossible est possible.

— Même une femme?

— Même sa fille.

— Absurde.

— Tous les crimes sont dans la nature.

— Mais pas dans la pendule. Léna est rentrée à 17 h 55.

— Accordé. On passe à l'amant.

— En 94, 23 % des agressions régionales contre une femme ont été le fait d'un amant éconduit. Source : préfecture d'Annecy.

— Charge. Merci.

— Mais personne ne connaît d'amant à Jeanne Deligny.

— Un amant on le dissimule, surtout dans une ville comme Annecy où tout se sait.

— Dans une ville comme Annecy où tout se sait, on l'aurait su.

— Elle a pu prendre un amant dans une autre ville.

— Sa sœur dit qu'elle n'est pas le genre à en prendre un.

— Existe-t-il un genre femmes à amants ?

— D'après sa sœur, oui.

— Vous diriez que je suis une femme à amants ?

— On ne dispose d'aucune statistique sur le sujet.

— En quinze ans de vie commune la probabilité d'en prendre un est grande.

— Jeanne Deligny a confié à Henriette Oury qu'une double vie, je cite, la barberait.

— C'est donc qu'elle l'envisageait.

— Ou évoquait à mots couverts un adultère révolu.

— Ce qui ramène à l'ex-amant.

— Sur l'année 93-94, 77 % des agressions contre une femme ne sont pas le fait d'un amant éconduit.

— On lui a prêté une liaison avec son gynécologue.

— On prête à tout gynécologue une liaison avec ses patientes.

— Et si c'est le mari qui avait une maîtresse ?

— Dans cette configuration c'est plutôt l'épouse qui tue.

— Ou la maîtresse qui désespère de le voir quitter le foyer.

— Personne ne lui connaît de maîtresse.

— Ce pourrait être un amant.

— Dans ce cas tout est possible.

— À ce stade même l'impossible est possible.

— Argument déjà utilisé.

On passe aux collègues.

— Aucun salarié du Centre n'a de grief contre elle.

— Prétendent-ils.

— Si on ne croit personne, inutile d'interroger.

— Elle était irréprochable donc beaucoup la jalousaient.

— Si on va par là, un des dingues a pu commettre le crime.

— Par exemple son préféré.

— Didier n'a aucun mobile.

— Possessivité. La voulait pour lui. Ne supportait plus qu'elle reparte chaque soir.

— Il s'entend bien avec le mari.

— Alors geste sans mobile. Bon profil pour ça.

— Les fous ne font pas que des folies.

— Les gens raisonnables n'ont pas le monopole de la déraison.

— À 17 heures il était au Centre.

— Il a pris un de nos treize hélicoptères.

— Vous pourrissez le jeu.

— Un autre dingue a pu sortir.

— Tous les résidents étaient au Centre à 17 heures.

— Pas les ex-résidents.

— S'ils sont dehors c'est qu'ils ont été jugés non dangereux.

— 99 % des assassins appartiennent à la catégorie non dangereux.

— Un ex-résident n'a aucune raison de s'attaquer à un cadre.

— Sauf s'il lui manque. Crime d'amour.

— À ce compte, n'importe qui a pu tuer.

— Même vous.

— Même vous.

— Appelons ça un rôdeur. Le rôdeur est quiconque rôdait par là.

— Un rôdeur ne fait pas de repérages.

— Il rôdait du côté de l'Olympe, avise sur le parking une jolie quadragénaire comme moi, la suit.

— La précède.

— À sa direction il a deviné l'immeuble B.

— Comme banane.

— Ou brugnon.

— Il connaît le code ?

— Comme tout le monde.

— Il sait l'étage ?

— C'est peut-être un voisin.

— Un voisin n'aurait pas besoin de l'attendre en bas.

— Il le fait en espérant être vu et passer pour un non-voisin.

— C'est un voisin qui se fait passer pour un rôdeur ?

— Ou un rôdeur qui ne serait pas un voisin.

— Il sait l'étage ?

— Il se poste au deuxième et entend l'ascenseur s'arrêter au-dessus.

— Il a le temps de franchir un étage ?

— Elle cherche ses clés.

— On les a trouvées dans son sac.

— Il se jette sur elle avant qu'elle ne les trouve.

— Elle n'a pas pu mettre tant de temps.

— La lumière manquait.

— La vitre du troisième en laisse passer assez.

— Le jour tombait.

— Mais pas encore la nuit.

— Alors elle enlève ses chaussures.

— Sur le palier ?

— Pressée de se soulager. Femme toujours mal aux pieds. Homme pas pouvoir comprendre.

— Et le rôdeur l'agresse sans la voler ni la violer ?

— Il en avait l'intention et ça tourne mal.

— Une fois qu'elle est morte, il peut vider son sac à main.

— La panique le fait fuir.

— La panique a bon dos.

— Alors il comptait la tuer.

— Sans la connaître ?

— Vous avez un kleenex ?

— Vous gagnez du temps.

— Il la confond avec une autre. C'est une méprise.

— Même en la tailladant il ne la reconnaît pas?

— Il ne la reconnaît pas parce qu'elle est tailladée.

— Raisonnement perversement circulaire.

— OK, il la connaît.

— Mais pas assez pour être un proche.

— Un proche peut-être pas, mais un homme.

— Cela au moins est sûr: la victime a été tuée par un homme.

— Ou par une femme, disions-nous.

— Cela au moins est sûr: la victime a été tuée.

8

Aucune raison n'impose de renoncer à déjeuner au salon le dimanche, dans la configuration habituelle. Charles dos au balcon, Léna face à la cuisine, entre eux la troisième chaise.

Il a juste fallu écarter le matelas de Charles qui dort dans cette pièce jusqu'à nouvel ordre. Les voix détimbrées de France 3 servent son objectif de dormir jour et nuit. Il n'y aura pas de nouvel ordre.

Les premières bouchées de charcuterie ont réveillé les maux de ventre de Léna. Ce ne sont pas les règles, dont le retard l'inquiète au point qu'elle désire ce sang qui d'ordinaire la révulse. Plutôt l'estomac. L'estomac barbouillé, dirait son grand-père entré hier en chimiothérapie. Barbouillé par les trois cuillerées de cacao Poulain du matin, complète son père. Elle aurait l'âge de passer au café, non ? Léna doute que ça lui réussisse mieux. Souvent l'estomac digère mal alors qu'il est fait pour. Ce qui n'a vocation qu'à fonctionner dysfonctionne. Les organes se désorganisent, métastasent, meurent. Un foie millénaire ne se conçoit pas. Ou se conçoit sans être possible. Si le concevable est plus vaste que le possible, la pensée est plus vaste que la matière.

En un verre d'eau Léna avale la gélule donnée par son père, qui par habitude en explique la chimie. Dans les grandes lignes, car il est las. Dans les grandes lignes, le Folotex contient des alginates qui tapisseront l'estomac pour empêcher son contenu acide de refluer dans l'œso-phage. Léna trouve que l'acide porte bien son nom. Trouve sa sonorité dissolvante. Avec des mots autoréalisateurs la vie serait plus simple. Il suffirait qu'on dise à un mort reviens pour qu'il revienne. Il suffirait qu'elle dise sommeil pour triompher de l'insomnie. Il suffirait qu'elle dise je ne retournerai pas au lycée demain après onze jours d'absence. Je refuse de reprendre. Je biffe d'emblée le premier jour de mon retour. Je l'enjambe pour accéder directement au deuxième. Enjambées, les minutes de plomb dans le couloir en attendant le prof du cours de 8 h 15, enjambée l'onctueuse commisération des adultes, élèves, femmes de ménage, tous se composant pour elle une tête d'enter-rement ou pire d'optimisme volontariste, tu vas t'en sortir, il faut continuer à vivre, il faut que la joie demeure, c'est le meilleur hommage à lui rendre, c'est ce que ta mère souhaite là-haut.

Certaines scènes à vivre ne sont pas vivables. Depuis ce matin l'accapare l'image d'elle traversant la cour avec clouée au front la pancarte du deuil. La cause première de cette situation remisée pour l'heure dans un neurone qu'elle réactivera quand l'invivable aura été vécu.

Le lapin-moutarde est une habitude du dimanche

qu'aucune raison n'impose de changer. En revanche le café se prendra sans cookies. Elle avale un second verre pour pousser la gélule dans ses canaux. Hier madame Nunez a monté une enveloppe kraft avec dedans une feuille Canson signée par ses camarades de la seconde 6. Même Aurélien Califano à qui elle n'a jamais parlé. Même cette conne d'Émilie Marconnet. Elle trouve ça alternativement touchant et énervant, ça dépend des minutes. L'humeur fluctue, l'humeur flotte, l'humeur coule dans les veines comme le sang. Le prof de physique ironiserait sur cette biologie moyenâgeuse. Même lui elle n'est pas pressée de le revoir, lui aussi se composera une gueule, comment lui en vouloir, d'avance elle lui en veut.

Certaines signatures sont précédées d'une phrase. Les formulations se ressemblent, sans doute s'imitent. La pitié n'est pas très inventive. Pour innover, Alexandre Besse a reporté une strophe de Baudelaire qui parle de sépulcre et de renaissance. À la rigueur elle préférerait un cœur dessiné, et s'il cesse de battre où va l'amour ? Comme symbole des sentiments l'estomac serait tout aussi indiqué. Adeline a écrit : mon amie Léna, je serai toujours là pour toi. Et Stéphane : tu n'as plus ta maman pour t'aimer, mais tu as tes amis pour t'aider. C'est tellement gentil, tellement pas souhaitable. Léna ne veut pas qu'on s'occupe d'elle. Déclinera les invitations à des week-ends de ski pour lui changer les idées. Refusera que la prof d'histoire passe sur le devoir d'histoire non rendu. Comme faveur elle n'acceptera qu'une dispense à vie de piscine. Et si on la lui impose, elle passera outre. On ne la verra plus dans un bassin. Elle sait trop à quoi s'associerait instantanément l'odeur du chlore. À quelle autre odeur.

Après quatre sonneries que père et fille ont laissé filer, l'annonce du répondeur se déclenche. Vous êtes bien chez Charles, Léna et Jeanne, laissez un message et nous vous rappellerons, bonne journée au revoir. Un jour sa mère a trouvé pertinent de glisser Léna dans la liste des hôtes sur la bande. Ce faisant elle a relégué le sien en dernière position. Question de politesse, a-t-elle expliqué. On ne dit pas moi et mon mari, on dit mon mari et moi. Léna a moqué sa manie de s'effacer pour se faire remarquer. Sa mère a trouvé l'accusation gratuite, la discussion s'est envenimée. L'adulte a menacé d'annuler leur périple pour voir Madonna au palais des Sports de Lyon, l'adolescente a lâché qu'elle s'en foutait, qu'elle n'écoutait plus Madonna depuis douze mille ans, on s'en serait rendu compte si on s'intéressait à elle. La mère a laissé passer l'ouragan d'ingratitude, la fille a regretté sa sécheresse. Parfois deux vivants qui s'aiment se font du mal et quand l'un disparaît le survivant s'en griffe les joues. Charles trouve la moutarde un tantinet trop forte. L'émetteur de l'appel s'est éclairci la voix et finalement n'a pas laissé de message. Le concert de Madonna les a ravies, et comme la diva n'avait pas repris Material girl, elles l'ont chanté en chœur sur le trajet retour. Le téléphone sonne toujours deux fois. Vous êtes bien chez Charles, Léna et Jeanne. Cet été elles se remémoraient encore la chorégraphie finale en guêpière. Charles reporte chaque jour au lendemain le réenregistrement de l'annonce. Il ne s'imagine pas la reformuler en soustrayant un prénom. Encore moins effacer cette voix. Encore moins l'entendre à chaque appel. Garder telle quelle l'annonce est aussi impossible que la modifier. Wilhelm s'identifie et précise que le message est pour Léna. Enfin pour tout le monde mais Léna en particulier. Il pense à elle bien fort, elle peut le rappeler à n'importe quelle heure, il reste chez lui, il n'ira pas au kayak, il lui fait des bisous. Léna reprend du lapin, elle a retrouvé l'appétit, les alginates ont commencé leur travail. Acide contre acide, un duel au sommet. Elle demande si les médicaments supprimeront un jour tous les maux. Pendant la réponse chaloupée de son père, oui, non, oui et non, sa pensée dérive vers Wilhelm, vers son beau Suisse, l'attention qu'il lui porte, son comportement impeccable, sa lettre le samedi d'après, ses trois messages téléphoniques par jour, au moins deux de trop, demain dans la cour il sera aux petits soins et ce sera trop, elle ne veut pas d'un chien de montagne, elle ne veut pas d'un sauveur, elle veut qu'il l'emmerde, sa gentillesse finira par l'énerver, l'énerve déjà, dans un mois elle le détestera, ce n'est pas ce qui était prévu, ce qui était prévu est qu'on cohabite encore dix ans dans l'amour et renouveler le bail chaque décennie jusqu'à la fin.

Léna sort les assiettes à dessert et prévient qu'elle se teindra en blond à la Toussaint. La fête des morts c'est idéal pour changer. Son père relève à peine. Elle préférerait qu'il relève. Qu'il objecte que c'est aussi la fête de tous les saints. Qu'elle déclare s'en foutre. Qu'elle insulte les saints. Qu'on se crie dessus un bon coup. C'est tellement beau les cheveux noirs dit-il mollement. Justement dit-elle et c'est sorti tout seul. Elle en a frissonné de délectation. Elle aimerait que son père la fasse répéter, lui fournisse l'occasion de redire : justement. C'est justement parce que c'est beau qu'elle n'en veut plus. La beauté ment. Quatre sonneries jumelles à nouveau. Vous êtes bien chez Charles, Léna et Jeanne. Wilhelm s'excuse de déranger encore mais en fait il va accompagner son frère au kayak donc il ne sera pas là entre 14 heures et 15 heures mais après c'est bon elle peut appeler donc bisous et le poing de Charles s'écrase sur le combiné avec répondeur intégré de marque Philips. L'appareil en sort moins endommagé que le poing. Obscurément Léna aime cette violence. Elle la trouve adéquate. C'est la douceur qui est obscène. Charles s'absente dans son bureau où il ne met pourtant plus les pieds. Les statuettes nègres attendent la suite. Pendant toute la scène elles n'ont pas cessé de sourire à pleines dents. Charles réapparaît avec l'urne. Aucun rapport. Aucun rapport, si ce n'est qu'au moins ça il en sera capable. Il dit qu'au moins ça il en sera capable, et à sa fille de passer un blouson, ils vont faire un tour. On mangera la charlotte après. On aura encore plus d'appétit. On aura le cœur joyeux d'avoir pour une fois accompli quelque chose. D'avoir rompu la routine des ratages.

Parfois Charles disait à Jeanne : avec dix ans de plus que toi je me suis donné toutes les chances de ne jamais te voir mourir.

L'urne passe le trajet entre les genoux de Léna assise à l'arrière. Qu'est-ce qui reste du sang là-dedans ? À la sortie de Sevrier la Volvo clignote et se gare sur le parking vide d'un club de vacances. Grand 1, les globules rouges assurent le transport de l'oxygène vers les différents organes, grand 2, les globules blancs défendent l'organisme contre les agressions extérieures.

Les deux portières claquent puis le vent pousse père et fille vers le lac muet.

Jeanne répondait : prends une épouse vingtenaire, ce sera encore plus sûr. Charles entrait dans le jeu : n'essaye pas de te débarrasser de moi. Tu ne couperas pas aux années à changer les couches de ton mari cacochyme. Ils rigolaient. Ils ne rigolaient pas tout le temps, on ne le prendra pas à embellir l'histoire, mais parfois ils rigolaient. Ni plus ni moins que d'autres couples. Des photos en témoignent qu'il ne regardera plus.

Léna s'avance sur le ponton, l'urne à bout de bras. Au-dessus de sa ligne de flottaison, un canard se lèche les plumes. La question de savoir si un bec lèche est laissée en suspens. Aucune des créatures présentes ne considère la montagne en face. L'indifférence est réciproque. Charles dit voilà maintenant tu peux y aller. Accomplis ce qu'il y a à accomplir. Sa fille demande si elle doit se contenter de retourner l'objet ou bien forcer le geste. Le maître de cérémonie ne saurait dire. Pour ces choses le mode d'emploi n'est pas joint.

Léna attend une rafale plus franche, pour que les cendres libérées s'envolent et s'égaillent comme une bande d'insectes ivres de vie. Le vent souffle sur les choses mais qui souffle sur lui ? Petite elle croyait que c'était les branches feuillues qui s'agitant brassent l'air qui dès lors s'affole en vent. Puis les énigmes ont surgi. Le soleil éclaire mais qui l'éclaire ? Soi-même. Il s'illumine. Il est sa propre cause. Si Léna était sa propre cause, elle se remodèlerait. Elle changerait la conception d'ensemble et quelques pièces. Bientôt elle aura les cheveux blonds. La prévisible réprobation de Wilhelm est un des buts inconscients de la manœuvre. Wilhelm qu'elle ne supportera bientôt plus. Sa tendresse devenue de la lenteur. Ses attentions des faiblesses. Sa beauté mensongère.

Quelques arbres solidaires agitent les branches pour signaler qu'il y a du vent. Pour autant Léna ne bouge pas. Les bras transis et le reste aussi. Un cumul de tétanies qui statufie la scène, gèle l'initiative. Charles n'insiste pas longtemps, il a compris qu'elle ne bougera pas ; que lui-même ne palliera pas son impuissance en prenant la chose en main. Ni lui ni elle n'exécuteront le geste enfantin et impossible d'ouvrir cette urne et d'en vider le contenu et que les cendres papillonnent vers loin. Ils resteront immobiles dans le vent glacé, ahuris par leur faiblesse, interdits. Qu'est-ce qui l'interdit ? Qu'est-ce qu'ils perdraient qu'ils n'aient déjà perdu ? Un canard plus gros s'est joint au premier. Ils ont l'air de se connaître.

9

À défaut d'un véhicule de service disponible, le brigadier Calot propose de prendre sa 305 achetée d'occasion à un oncle qui par respect ne lui a pas fait de ristourne. Calot n'a pas bien saisi ce par respect. Pour sa part le capitaine Brun a saisi depuis longtemps qu'elle se passerait bien de ce mot à la con.

Respect et tolérance. Inutiles. Poubelle.

Elle se décolle pour régler l'autoradio sur Nostalgie. Par boutade coutumière, Calot signale l'existence d'autres stations sur la bande FM. Sa supérieure persiste à l'ignorer. Elle préférerait tomber sur une embuscade de dealeurs que sur une chanson contemporaine. L'époque actuelle, nul ne le contestera sans encourir un blâme, ne produit aucun tube. L'artisanat du tube est une spécialité des années 70, comme l'illustre le morceau de Stevie Wonder qu'un jingle vient de lancer. On se tait et on boit le génie.

Calot écoute mais n'entend pas le génie. Au milieu de l'avenue du Rhône, le capitaine tient un point pour certain : l'actuelle vogue du karaoké vient du sentiment unanime bien qu'encore inavoué que l'âge d'or est vingt ans derrière nous. Calot trouve qu'elle règle un peu vite le sort des années 80. Que n'a-t-il pas dit. À quelle salve de postillons s'est-il exposé. À quelle radiation de la police. On ne lui a donc pas appris que les années 80 sont le début de la fin. Qu'elles ont amorcé le lent suicide de la musique populaire, et les synthétiseurs dépêchés pour compenser l'affaissement énergétique des artistes n'y ont rien changé. De là vient que la plupart des types qui ont eu quinze ans en 1983 présentent des symptômes précoces de dégénérescence comme la manie des statistiques et la perte de cheveux.

— Alors que voyez l'éclat des miens. Millésime seventies.

— C'est surtout l'éclat de la teinture.

Le capitaine informe Calot que la teinture a vocation à compenser, non une sénescence capillaire, mais l'érotisme étriqué des hommes qui débandent devant le moindre cheveu blanc. Ou le moindre poil d'aisselle. Vous aimez les aisselles pileuses, Jean-Étienne ?

— J'ai rien contre.

— Mais rien pour.

Les femmes des années 70 avaient les aisselles poilues et advienne que pourra. Elles s'en foutaient d'attirer le mâle. Et pourquoi avaient-elles la force de s'en foutre ? Parce qu'elles avaient Queen. Elle pousse le volume pour donner une ampleur idoine au deuxième couplet de Death on two legs. On se tait, on boit le génie. Calot se tait mais n'entend rien, son esprit resté bloqué sur la calvitie glisse vers son père précocement chauve, vers les malédictions génétiques, le darwinisme, la notion de peuple, les clichés nationaux, la rigueur allemande, la mélancolie portugaise, l'orgueil espagnol, Lynda Nunez qu'ils s'en vont interroger et le morceau s'achève.

Ce matin la chef d'enquête a estimé que puisqu'ils n'ont rien il faut repartir du peu qu'ils ont. La concierge est ce peu. Ils repartiront d'elle. La réentendre ne fera de mal à personne bordel à queue. Au pire ça calmera leurs nerfs avivés par les pressions de la hiérarchie. Mais est-ce qu'on n'a pas déjà usé jusqu'à la corde ce témoin principal ?

— Qui vous parle de témoin et non de suspect ?

— Vous allez loin, capitaine.

— C'est la vie qui va loin, brigadier.

Au fond, d'où tirons-nous la certitude qu'un inconnu s'est introduit dans l'immeuble ? De la déposition de Lynda, point barre. Dans cette résidence bourrée de vieux désœuvrés, elle seule a vu ce type en baskets, c'est quand même bizarre non ? Testis unus, testis nullus. Voire testis falsus. Et alors tout devient clair. Statutairement très informée des allées et venues dans ce périmètre, la gardienne sait que Jeanne Deligny rentre chaque soir avant fille et mari. À l'heure dite, elle se poste au troisième sous prétexte de ménage et l'égorge au saut de l'ascenseur.

— Elles se sont croisées au rez-de-chaussée.

— Qui le prétend ? Lynda, point barre. Testis falsus.

Elle lui retire les mocassins pour simuler une lutte, passe la serpillière pour rendre la scène de crime indéchiffrable, humidifie les marches pour laisser croire qu'elle a nettoyé les escaliers et donc malencontreusement effacé des empreintes qui n'ont jamais existé. Il ne lui reste qu'à appeler en larmes les voisins du quatrième et inventer un visiteur masculin pour égarer les recherches, et tout le monde la croit, tout le monde l'innocente d'emblée en vertu du postulat partagé qu'une concierge a fortiori espagnole est trop stupide pour échafauder un crime parfait.

— Et les empreintes sur le parterre?

— Inversion typique de l'ordre de raisonnement. On cherche un homme, donc des empreintes 42-43 sont intégrées au dossier. Si on cherchait une femme, elles seraient négligées comme issues d'un badaud sans rapport avec l'affaire.

Pour trouver il faut savoir exactement ce qu'on cherche.

Par extension, on ne trouve que ce qu'on a déjà trouvé.

— Alors pourquoi on cherche?

Garé le long d'un camping-car de marque Ford, Calot coupe le sifflet de George Benson pour s'enquérir du mobile de la concierge promue suspecte. Le capitaine s'étonne qu'un gauchiste angélique comme Calot ne le devine pas. Le ressentiment social, voyons. Marre de nettoyer la merde des bourgeois, de leur sollicitude condescendante. Envie de les décapiter un par un, bien proprement, qu'ils aient le temps de s'entendre beugler comme des vaches à l'abattoir. Et ensuite promener leurs têtes au bout d'une pique, copyright 1793.

— Vous y croyez vraiment?

— Non.

Un chat tigré jaune garde la loge B. Madame Nunez prie messieurs dames les policiers de retirer leurs chaussures, elle vient de nettoyer son lino. Parasité malgré lui par les conjectures de sa supérieure, Calot songe qu'une telle entrée en matière vise à accréditer sa supposée maniaquerie, clé de voûte de son édifice criminel. Mais qui l'a prévenue de leur passage afin qu'elle ait le temps de préparer sa mise en scène? Elle aurait une taupe au SRPJ? Le lieutenant Vasquez, par fraternité ibérique?

Sous la tasse de café acceptée par le capitaine, l'hôte glisse un Voici où Lady Diana confesse avoir eu souvent envie d'en finir. Elle est désolée mais la princesse aurait pu avoir un petit mot pour ceux qui finissent sans en avoir envie. Si elle peut se permettre.

L'entretien qui suit reconduit au mot près la déposition de Lynda Nunez née Iniesta, veuve de Federico Nunez. Le capitaine s'en agace. Par une typique inversion de l'ordre du raisonnement, germe en elle l'idée que la désespérante constance de ce témoignage est la cause du piétinement de l'enquête. Elle s'entend questionner sèchement. S'entend assez pour s'en vouloir, pas assez pour adoucir son ton quand vient le moment de s'étonner que madame Nunez, dont c'est un peu le métier, n'ait pas vu un homme faire le guet pendant minimum une demi-heure à vingt mètres de sa loge.

Lynda rappelle à madame la capitaine qu'à rebours de la réputation faite à son corps de métier, elle ne passe pas sa vie accoudée à la fenêtre. Une gardienne n'est pas plus une concierge qu'une Madrilène n'est née à Lisbonne. Et puisqu'on en est aux confidences, les policiers doivent savoir que la nuit dernière le Seigneur a projeté la lumière dans sa tête. Elle sait désormais que ce tueur ne sera jamais retrouvé, par la police ni quiconque, car il n'a ni adresse, ni nom, ni épouse, ni travail, ni rien de ce qui justifie une vie humaine. Cet homme nous échappera pour la raison qu'il n'est pas un homme mais le diable.

En personne.

— Oui c'est une des pistes que nous explorons.

Calot rigolerait s'il ne venait de découvrir un trou à sa chaussette qu'il tâche de cacher d'une torsion d'orteil. Encadré sur le poste de télé, un christ auréolé d'or semble une captation argentique. C'est plus sûrement un dessin. Le capitaine aimerait en revenir à cette initiative étrange d'éponger le sang après la découverte du corps. Lynda ne voit là qu'un réflexe normal. Dans une situation où on ignore quoi faire, on se rabat sur ce qu'on sait faire. Elle se revoit même lustrant le bouton d'ascenseur alors qu'il était propre. Enfin propre, c'est vite dit. Ici-bas rien n'est jamais propre et c'est pourquoi le Sauveur est descendu laver nos péchés.

— Autour du cadavre vous n'avez rien constaté de plus ?

Calot est peut-être intervenu par bravade ; pour que sa supérieure se rende définitivement à sa conviction qu'il n'y a plus rien à ramasser dans cette loge. Sentant qu'approche la fin d'un entretien qui la divertit, Lynda prend le temps de répondre, studieuse, appliquée, que non.

— Vraiment rien ?

— À part les mocassins et le sac, rien.

— Bon.

En la prononçant Calot réalise que cette ponctuation d'usage est inadéquate. En l'espèce, bon n'est pas pertinent.

Le contraire de bon le serait davantage. Quel est le contraire de bon ? Mauvais ? Pas là. Ce bon-là n'a pas ce sens-là. Ce bon signifie tout est normal, signifie pas de souci, ça roule, rien à signaler, circulez. Bon je vais me coucher. Bon je crois que c'est clair. Le contraire de bon dans ce sens serait : ah ? Serait : ah bon ?? Serait une question exclamative prolongée d'au moins deux points d'interrogation.

— Le sac ! ???

— Le sac. Et les mocassins.

— Quel sac ?

— Un petit sac en plastique. Pas loin des mocassins.

— Il était sur le palier ?

— Oui. Avec les mocassins. Tout neufs. Ça fait de la peine.

— Pourquoi ne pas l'avoir signalé ?

— Ben tout le monde les a vus. Ils ont même agrafé un numéro dessus. Ils étaient de marque italienne.

— Non mais le sac.

— Le sac ?

— Oui le sac.

— Pardon mais si je déclarais à la police tous les trucs en plastique que je ramasse, faudrait renforcer vos effectifs.

Vous n'imaginez pas tout ce que les gens soi-disant éduqués s'autorisent comme cochonneries. Pourquoi se gêner quand on sait que ma bonne poire passera derrière ? Madame Jeanne, paix à son âme, n'était pas comme ça elle. Toujours respectueuse du bien commun. Les meilleurs partent les premiers et c'est pourquoi ils sont les premiers au Ciel. Madame Jeanne c'était le genre à ne jamais rien laisser traîner. Sauf ce sac mais bon en l'occurrence ça lui était difficile de le ramasser.

— Vous pensez qu'il lui appartenait ?

— Aucune idée. Faudrait l'examiner.

— Vous arriverez à le repérer dans une décharge dix jours après ?

Cette fois le ton du capitaine est franchement brutal. Ses proches savent qu'elle est favorable à la peine de mort pour petit a les assassins d'enfant, petit b Mylène Farmer, petit c les crétins qui bazardent des pièces à conviction. Elle ignore si la gardienne ressortit aux deux premières catégories, mais à la troisième c'est désormais sûr.

Inconsciente de l'échafaud qu'elle encourt, madame Nunez demeure placide. Elle ne voit pas bien l'intérêt d'aller s'intoxiquer dans une décharge alors qu'on pourrait commencer par regarder dans le placard.

— Dans le placard ?

— Dans le placard.

— Dans quel placard ?

— Celui où je les mets.

Elle garde tous les sacs en plastique trouvés car ceux qu'on jette finissent dans la mer et la mer pour le coup il ne faudra pas compter sur elle pour la nettoyer. En se penchant pour faire coulisser une porte en bois laqué rouge, elle dit sa consternation que même l'océan soit sale, même les eaux du déluge, c'est à peine croyable, les hommes sont des enfants, c'est pourquoi il leur a fallu un Père qui leur envoie son Fils né de sa Mère. Au terme d'une fouille rapide, elle tire un sac jaune siglé Bricorama en lettres rouges. Le capitaine lui arrache des mains et le retourne plus fébrilement qu'elle ne voudrait. Il en tombe un papier de Malabar puis un ticket de caisse détaillant l'achat, pour une somme totale de 47,20 francs, d'une boîte de vis modèle 45, d'un tube de néon, et de trois cutters.

10

Au Bricorama d'Albertville, la mention d'une réduction sur le ticket imprimé le 23 septembre 1995 à 10 h 13 permet de remonter à la carte de fidélité Bricobonus numéro 138, renseignée d'une adresse complète, du nom Bourrel et du prénom Gilles.

Interpellé au 4 chemin du Grand-Meunier 74210 Faverges alors qu'il part au travail, Gilles Bourrel n'oppose aucune résistance. L'expression écrite noir sur blanc dans le rapport du brigadier Ferrara retient le capitaine Brun. Des flics et des chroniqueurs judiciaires, qui a commencé à singer le verbe de l'autre ? Alors qu'un petit surcroît de précision suffirait à casser les automatismes. Écrire par exemple que l'interpellé n'a insulté personne. Ne s'est pas enchaîné à un radiateur. Ne s'est pas tiré une balle dans le crâne. A servi un café.

Reste que la passivité de ce Bourrel ne l'étonne pas. Elle flaire qu'il attendait la police. La désirait. Lorsque Calot a suggéré qu'on tenait le coupable le plus bête de l'histoire du crime, et observé qu'un type qui aurait voulu qu'on le retrouve ne s'y serait pas pris autrement, elle a répondu que oui en effet il l'a voulu. Tout est voulu. Même sans le vouloir, même s'il s'en est mordu les doigts après coup, l'assassin a voulu oublier ce sac sur le lieu du crime. Cela semblera paradoxal aux dégénérés grandis dans les années 80, mais les esprits vigoureux de la décennie antérieure savent qu'un paradoxe n'est qu'une cohérence en attente d'élucidation. Une invitation faite à la logique de se hisser à un niveau supérieur. À un niveau illogique, vous voyez?

L'arrivée du suspect dans les locaux de la SRPJ dispense Calot d'une réponse négative qui en retour lui vaudrait un Jean-Étienne. Placé en garde à vue pour des faits d'homicide, Gilles Bourrel s'assoit en remerciant sur la chaise que le capitaine lui a désignée. Sa politesse peut procéder de l'arrogance autant que de l'humilité. Le brigadier se tient en retrait, prêt à prendre le relais si les vingt-quatre heures légales sont utilisées voire doublées, et à dégainer son carnet si la machine à écrire de sa supérieure néglige un détail.

Cheveux châtains, oreilles asymétriques, front ni haut ni bas, nez au choix, le suspect n'a pas plus une sale tête que vous et moi. Ignorant son geste, on l'imaginerait aussi bien réparateur de violon que tueur de femme. À cet instant l'inquiète surtout de prévenir de son absence l'agence de tourisme, et du même coup sa compagne qui y travaille aussi. Le capitaine assure qu'on le lui permettra après un interrogatoire dont il dépend de lui seul qu'il ne s'éternise pas.

Enhardi par cette garantie, Bourrel Gilles, sexe masculin, type caucasien, un mètre soixante et onze, soixante-deux kilos, né à Chambéry le 27 avril 1956, profession éducateur de ski, signe particulier néant, formule des réponses claires et concises. A-t-il bien acheté trois cutters le 23 septembre dernier ? Il ne peut garantir la date mais oui dans ces eaux-là. Estime-t-il possible d'avoir laissé le sac lié à cet achat au troisième étage de l'immeuble B comme brugnon de la résidence de l'Olympe, le 27 septembre ? Très possible, puisqu'il l'avait lorsqu'il s'y est rendu. A-t-il, ce même jour, attendu Jeanne Deligny sur son palier ? Absolument, c'est ce qu'il a fait. L'a-t-il agressée avec l'arme blanche susdite ? Tout à fait. A-t-il quitté les lieux sans prêter secours à la mourante ? Il ne peut pas le nier. Aurait-il l'obligeance de réitérer cet aveu et signer le procès-verbal ? Il réitère et signe et demande s'il peut utiliser un téléphone. Il ne voudrait pas que ses collègues de l'agence croient que quelque chose de grave lui est arrivé.

On lui tend un appareil dont sa main gauche active les touches avec application. En sortant griller une Camel dans la cour bétonnée, le capitaine l'entend rassurer son inter-locutrice, tout va bien. D'ordinaire elle fume à l'intérieur mais l'heureuse tournure des événements mérite d'être fêtée en aspirant l'air à pleins poumons. Bonne chose de faite. Affaire rondement menée. Satisfaction de se sentir utile. Ville hors de danger. Paix des braves gens. Concorde nationale. Elle aurait de quoi jubiler. Elle ne jubile pas tant que ça. Dans un recoin d'estomac s'agite une particule acide, comme révélée par la fumée inhalée, et sécrétée sans doute dès le début de l'interrogatoire, quand elle a compris que Bourrel avouerait vite. Le corps sait ce qu'il veut et grogne de ne pas l'avoir. Le corps est précis. Obscur son langage est rigoureux. L'écoutant, elle comprend qu'elle est frustrée. L'oreille collée sur son ventre, c'est frustrée qu'elle entend. Dépitée par la soudaine restriction du champ des possibles. Par la dissolution des mille récits que recèle une énigme dans trois réponses diligemment signées. L'implacable positivité des faits a sonné la fin de l'orgie spéculative.

Elle commençait à le chérir son mystère du palier jaune. Un ascenseur, un homme, une femme, tout le reste à inventer. Un lupanar pour neurones. À cet instant mieux que jamais, elle mesure qu'elle a moins choisi ce métier pour protéger et servir et sauver les orphelines que pour le plaisir intense d'élucider dont l'heureuse tournure des événements vient malheureusement de la priver.

Elle écrase le mégot, rongée par la même amertume que le jour maudit de mars 1969 où le Cluedo, prétendument destiné aux limiers les plus fins, lui était apparu pour ce qu'il est : un jeu de dés. Le cerveau déléguait son pouvoir au hasard. Un 6 vous couronnait. Un sac tombé du ciel règle une énigme.

Trop facile.

Bourrel a repris sa place avec une docilité désespérante. Le capitaine demande si le coup de fil a convaincu sa compagne qu'elle ne devait pas s'inquiéter. Elle n'essaye même pas de masquer son ironie. Après la révélation de la Camel elle inclinerait plutôt à faire comprendre à ce coupable en carton qu'elle lui en veut de lui saboter le travail, qu'il est une erreur de casting, qu'il végète aux antipodes du gardé à vue idéal, buté, négateur en bloc, détestable à souhait, armé d'une mauvaise foi olympique, retors à mériter des baffes et on ne se gêne pas, assez futé en tout cas pour offrir au cerveau policier l'aubaine d'éprouver sa puissance en déjouant une adversité digne de lui. La seule chance que Bourrel retrouve grâce à ses yeux serait qu'il se rétracte, comme tant de criminels passés aux aveux ont l'amabilité de le faire. Qu'il confie s'être accusé à la place d'un autre dans un but machiavélique que l'enquêtrice se fera une joie de démêler. Ou qu'il révèle que son crime est le neuvième d'une série de douze que son arrestation ne l'empêchera pas d'achever en tenant son rythme mensuel jusqu'à la fin de l'année, chaque horreur étant conçue pour illustrer un signe du zodiaque. Une flèche d'arbalète dans le vagin d'une fillette pour le Sagittaire. L'empalement d'un vieillard sur des cornes de taureau.

Non content de confirmer ses dires d'avant la pause, ce tocard les étoffe volontiers de détails. Le 27 septembre, il a rallié Annecy par la Nationale 4. Un des essuie-glaces était bloqué. Garé sur le parking du Carrefour, il a marché dix minutes jusqu'à la résidence de Jeanne.

Calot note qu'il dit : Jeanne.

Pour l'avoir épiée quatre fois, il savait qu'elle ne rentrait jamais plus tôt que 16 h 30, jamais plus tard que 17 h 30, et s'est calé sur l'hypothèse basse.

— Puis vous avez vu la Clio.

— Voilà tout à fait.

— Vous êtes monté au troisième.

— Absolument c'est bien ça.

— Pour la tuer.

— Euh… non.

— Comment non?

— Je l'ai attendue mais pas pour la tuer.

Calot note: pas pour la tuer.

— Mais alors pourquoi? Pour manger des crêpes?

— Tout ce que vous voulez mais pas la tuer.

Calot note: pas la tuer.

— En coupant la carotide, vous vous imaginiez quoi?

— C'était pas volontaire. C'est une maladresse.

— Une maladresse vachement bien visée, dites-moi.

Le capitaine s'entend contrefaire l'interrogateur sardonique par exaspération. Alors que la nuance posée par ce mollusque rallume l'espoir de prolonger la fête.

— Qu'est-ce que vous avez voulu faire alors? Qu'est-ce qui, dans ce que vous avez fait, était voulu?

Calot note: tout est voulu.

— Le visage.

— Vous vouliez lui taillader le visage?

— Je ne me le disais pas exactement comme ça.

— Mais c'est exactement ce que vous avez fait.

— Je ne voulais pas la tuer.

— Vous vouliez quoi? La faire rire?

— Je sais pas. Il fallait que je me débarrasse d'elle.

Une larme que personne n'a vue venir perle à l'œil droit et dévale la joue. Gilles l'essuie avec le kleenex gracieusement offert par la police. En se mouchant il s'enquiert de ses chances de passer la nuit chez lui. Le capitaine lui stipule que compte tenu de la gravité des faits reconnus, il la passera plus probablement en détention provisoire. Par impatience de savoir plus que par nécessité de l'enquête, elle lui refuse la permission de prévenir sa compagne. On n'est pas aux PTT ici. On n'a pas droit à une pause par demi-heure. On exerce un vrai métier. Monsieur Bourrel va donc immédiatement nous faire le plaisir de restituer la trame qui l'a mené à tuer sans le vouloir Jeanne Deligny.

Sans renâcler, monsieur Bourrel nous fait ce plaisir.

11

En 1977, Gilles Bourrel redouble mollement sa première
année de droit à la fac d'Annecy. Il songe à s'orienter vers le
droit des affaires sans bien savoir ce que cela recouvre. Ou
pourquoi pas le pénal. Pour l'heure il n'y pense qu'autant
qu'il doive justifier le loyer de son studio réglé par son père
menuisier industriel. Sa mère partie cinq ans plus tôt avec
un routier de Neuchâtel ne participe pas aux frais.

Gilles goûte aux joies de l'oisiveté étudiante dans une
commune sensiblement plus animée que celle de Faverges
où il a grandi. Jamais moins que deux soirs par semaine,
il s'agrège à une bande de buveurs formée autour d'un
copain d'enfance, Simon Cabrol, atterri par hasard à
l'IUT de gestion. L'une de ces nuits paillardes étirées par
le printemps échoue dans une brasserie juste ouverte où la
bande s'offre un supplément de bières à côté d'une paire
d'employés municipaux servis en cafés. Sur la suggestion
d'une énième pinte et des potes hilares, Gilles se met au défi
de rallier le bus de collecte de sang stationné devant l'hôtel
de ville. Il franchit les cinquante mètres jusqu'au milieu
de la place et pose un pied sur l'escalier métallique déplié

à flanc de véhicule. Avisée de son état au premier regard, une jeune femme en blouse blanche l'invite à revenir quand il aura évacué ses trois grammes et autres toxines.

Il revient le surlendemain. À travers l'écran gondolé de l'ivresse, cette fille lui a bien plu. À jeun, elle ne lui fait pas moins d'effet. Cette fois rien ne justifie qu'elle refuse son don. D'ailleurs cette cause importe à Gilles, aider les autres c'est toute sa vie, sans jeu de mots aucun il dirait même qu'il a ça dans le sang. Elle dit oui oui bien sûr on n'en doute pas et l'installe dans le fauteuil à dossier inclinable.

Le protocole achevé dans les règles, Gilles fait durer comme il peut. Est-ce qu'un type qui reçoit le sang d'un autre hérite d'une part de sa personnalité? Est-ce que ses enfants à elle hériteront de ses magnifiques cheveux de jais et de ses beaux yeux en amande? L'infirmière se le souhaite et à Gilles une bonne journée. Le donneur pense que sa journée ne sera bonne que si cette professionnelle éclaire le sens de A+, B– et tout le reste. À la base ces symboles veulent dire quoi? Il ne repartira pas avant d'avoir reçu cet enseignement cardinal. Feignant d'être dupe du manège, elle explique que les quatre groupes sanguins se définissent en fonction de la variété d'antigènes à la surface des globules rouges. Gilles est tout ouïe. Vraiment cette affaire le passionne. La preuve, il va se poser à la brasserie d'en face en attendant qu'elle débauche et vienne lui donner un cours du soir.

Une heure plus tard, elle étire à l'excès l'exposé pour faire gentiment payer au dragueur sa filouterie. Le Rhésus, qu'on se le dise, est fonction de la présence d'un autre antigène dans le sang. Un constat positif se traduit par +, logique.

— Et un constat négatif par –.

Ça prouve qu'il suit. Il est même de plus en plus captivé. Il est, comment dire, suspendu à ses lèvres. Elle n'en doute pas. Elle se prénomme Jeanne. Comme d'Arc. Mais Mireille n'est pas sa sœur. Gilles ne saisit qu'une blague sur deux. Il confesse qu'encore tout à l'heure il pensait qu'il cédait banalement au fantasme de la blouse, mais force est de constater qu'en jupe de jean et corsage orange le charme est intact.

Ça tombe bien, Jeanne n'est pas infirmière. Elle a quitté l'école en cours de deuxième année pour suivre une forma-tion en milieu psychiatrique. Gilles se dévoue pour lui servir de cobaye. Dans son genre il est un peu dingue. Jeanne remercie mais les patients potentiels ne manquent pas, dans leur genre tous les gens sont un peu dingues, au premier chef ceux qui prétendent ne jamais l'être. Ils s'embrassent entre la troisième et la quatrième bière. Après la cinquième, Gilles signale que sa chambre est juste là derrière l'église Saint-Maurice. Il se sent patraque, sans doute les suites de la transfusion, elle ne ferait que son devoir en montant lui prodiguer quelques soins. Au risque de parjurer le serment d'Hippocrate, Jeanne préfère qu'ils en restent là pour cette fois. Parce qu'elle se lève tôt et parce que voilà.

Ils se revoient le jeudi suivant, même lieu même heure, et la soirée ponctuée de bières et de baisers échoue au même point. Pour une nuit ensemble, il faudra encore attendre. Jeanne confie qu'elle est longue à la détente dans ce domaine. Gilles se promet de la détendre.

Le coup d'après, la R9 de Jeanne les emmène au Strass, sur la route de Talloires. Cette discothèque ouverte l'été 76 par deux Suisses italiens pour blanchir l'argent de trafics divers a pris en marche le train du disco. Gilles est plutôt rock et déteste danser mais avec Jeanne tout lui va. C'est en se voyant gigoter sur Earth Wind and Fire, tapant dans les mains à l'unisson de la foule, qu'il réalise qu'en lui l'amour point. Il ne voit pas d'autre sentiment capable d'endormir les synapses qui transmettent le sens du ridicule.

L'aube qui clôt la seconde virée en boîte les trouve sur un banc du quai de l'Évêché. À cette heure l'éclairage des canaux flouté par la vodka autorise à se croire à Venise. Entre deux baisers aux mains baladeuses, ils se demandent si un homme et une femme de Rhésus identique ont plus de chances de s'entendre. Jeanne en doute, parce qu'alors la moitié de l'humanité vivrait dans l'harmonie. Inversement rien n'empêche un B + comme elle de s'accorder avec un A –. Bon de toute façon elle n'y connaît rien. Gilles ne démêle pas si elle parle d'amour ou de sang.

Pendant un mois, elle ne donne plus de nouvelles. Gilles met ce silence sur le compte de la coupure d'été. Peut-être n'a-t-elle pas pu le prévenir avant de partir dans un pays sous-équipé en télécommunications et en cartes postales.

De fait elle le recontacte fin août pour lui donner rendez-vous dans ce qu'ils appellent notre brasserie, mais c'est pour dire qu'on va s'arrêter là. Sa réelle tendresse pour lui est d'évidence moins intense que celle qu'il ressent pour elle. Elle trouverait malhonnête de continuer dans ces conditions. Retirant de son cœur le poignard que vient d'y enfoncer le mot tendresse, Gilles assure qu'il peut s'accommoder de cette dissymétrie, le temps que leurs sentiments s'équilibrent. Jeanne craint que ce moment d'équilibre n'arrive jamais. Elle ne veut pas insulter l'avenir mais il y a aussi qu'une précédente liaison lamentablement échouée sur un îlot de merde ne la dispose pas à en commencer une autre.

Gilles est abattu sur place.

Gilles est meurtri.

Par orgueil, il s'impose une discipline éthique : il ne lui téléphonera pas, ne provoquera aucune rencontre par hasard en bas de chez elle, ne pensera pas à elle plus de huit heures par jour. Il s'assomme de révisions pour les rattrapages de septembre, est admis en deug 2 grâce à la pénurie locale de candidats, reprend une vie de fêtard célibataire ponctuée de coucheries aussi désirées dans l'instant que regrettées au réveil.

L'épisode Jeanne n'est plus qu'un souvenir amer lorsqu'il la croise, un jour de janvier 78, main dans la main avec un homme plus âgé d'au moins dix ans. Les jambes de Gilles s'engagent dans une filature sous les arcades de la rue Royale. Pendant cent mètres, leurs mains ne se disjoignent pas une seule seconde. Au bout de la rue, ils s'embrassent devant une pharmacie où le quadragénaire finit par entrer. Gilles rattrape Jeanne devant Notre-Dame-de-Liesse pour lui faire ce que l'opticienne ventousée à sa vitrine par le volume des voix identifie tout de suite comme une scène. Gilles crie sa joie d'apprendre que Jeanne a guéri de son incapacité à une liaison. La crie si fort qu'un SDF à casquette militaire accourt mettre Jeanne aux abris dans le Monoprix, tandis que son comparse retient Gilles qui entre en négociation : il ne fera pas de mal à cette salope, il veut juste parler tranquillement à cette pute, le temps de savoir si le vieux a le droit de la baiser lui au moins. Le vigile de circonstance demeure intransigeant. Gilles demande aux piétons immobilisés s'ils veulent sa photo. Non, ils ne la veulent pas spécialement, mais l'un d'eux estime qu'on ne parle pas comme ça d'une femme. Gilles lui conseille de fermer sa grande gueule, l'autre voit mal au nom de quoi il la fermerait, Gilles lui annonce qu'il va la fermer quand même, l'autre la fermera quand il veut, Jeanne préfère ressortir avant qu'il y ait des morts. Maintenant le diamètre de la fontaine entre eux deux, elle lui dit qu'elle ne l'aime pas, c'est comme ça. On ne peut pas en vouloir à quelqu'un de ne pas aimer. On peut lui reprocher une trahison, une négligence, le non-remboursement d'une dette, mais en aucun cas de ne pas aimer. Ni d'aimer, d'ailleurs. Dans un sens comme dans l'autre personne n'y est pour rien.

Gilles fixe le jet d'eau continu craché par le lion de pierre. Ces mots ont jeté un seau de glace sur son ivresse de rage. D'une voix éteinte il promet qu'elle n'entendra plus parler de lui. Plus jamais. Il s'éloigne sans un regard pour la vierge en or qui dix mètres au-dessus lui tend les bras.

On ne l'y reprendra plus. Il ne la mérite pas. Trois jours plus tard, il se poste à la sortie du refuge pour mal-logés où une enquête dynamisée par l'adrénaline du jaloux lui a appris que Jeanne s'est engagée comme bénévole. Il l'interpelle à la sortie et la rassure d'un ton excessivement calme qui l'effraie. Son engagement tient toujours, la preuve il est venu faire la paix. Ça l'embête qu'ils deviennent ennemis, ce serait indigne de leur belle histoire. Elle a raison, on ne peut pas en vouloir à quelqu'un de ne pas aimer. L'amour n'est pas une créance. Elle ne lui doit rien. Elle ne lui doit qu'une chose. Tous les copains à qui il en a parlé sont d'accord avec lui pour penser qu'il y a une chose qu'elle lui doit et c'est une nuit. De sexe. Une nuit de sexe. Ce serait quand même hallucinant que parmi les millions de putes la seule dont il ne puisse pas jouir soit la femme qu'il aime. Qu'est-ce que ça lui coûte après tout ? Une nuit c'est huit heures. Deux fois moins, si elle veut. Quatre heures dans une vie de quatre-vingts ans c'est quoi ? Ensuite elle n'entendra plus parler de lui c'est promis.

Jeanne se réfugie derrière le pompier de garde auquel Gilles déconseille de recroiser son chemin sous peine de devoir avaler ses couilles.

Essaye voir, dit le pompier.

C'est tout vu, répond l'étudiant.

1978 ne dispose pas du terme harcèlement pour synthétiser les diverses initiatives amoureuses de Gilles au long de son premier trimestre. La plus notable étant le dépôt quotidien d'une lettre sans enveloppe dans la boîte de Jeanne. La lettre est d'amour ou obscène, mais recense invariablement des citations sur la vénalité des femmes, agrémentées d'adages prophétisant que la diablesse sans cœur finira étouffée sous les bijoux, et complétées par des questions exigeant incessamment une réponse sans ambiguïté à la con : depuis quand as-tu opté pour le fric contre l'amour ? Combien il te paye pour le sucer ? Ça t'excite de te faire déglinguer dans sa boutique à côté du tiroir-caisse ? L'inspiration littéraire se tarissant, Gilles se contente bientôt de dessins au trait fébrile où une silhouette nue figurant Jeanne use d'une bulle de BD pour tantôt réclamer qu'on la prenne par-derrière, tantôt se glorifier d'avoir pompé toute la Haute-Savoie, tantôt confier sa lassitude des petites queues de pharmacien. Variante : des bites de vieux.

Dans les moments de lucidité, Gilles se trouve grotesque. Il met cela sur le compte de l'amour. L'amour donne le courage du grotesque. L'amour est sans peur qu'une main courante soit déposée contre lui. L'amoureux se délecte de dessiner l'aimée dans des positions dégradantes qu'il regrette dans l'heure et redessine le lendemain. La mort seule met fin à l'amour perpétué par le ressentiment.

Ses résultats catastrophiques aux examens de juin décident son père à couper le loyer. Gilles ne bénéficiera des subsides familiaux que s'il met fin à la mascarade de la fac et accepte une place de magasinier dans l'usine de fours industriels de Faverges. Gilles s'y résigne, à vrai dire soulagé de quitter une ville où désormais tout le nargue.

La distance le désintoxique. L'air pur lui vidange les poumons. Il prend de l'altitude. Bientôt Jeanne est oubliée. Même pas un mauvais souvenir. Jeanne n'a pas eu lieu. Son maquereau peut lui défoncer le cul aussi souvent qu'elle veut. Il y repense à peine devant un reportage d'Antenne 2 sur les dons d'organe. Il y repense mais à peine. Ne sent qu'une infime pique au cœur lorsqu'il apprend qu'elle s'est mariée avec le pharmacien qui lui rend douze ans. Leur souhaite à peine plus que le pire. Leur jette sans conviction un sort qui les voue à une précoce lassitude sexuelle. N'y pense plus. N'y pense véritablement plus.

Et voilà.

— Et voilà quoi?

— Ça s'est arrêté là.

Les deux policiers évaluent en se regardant l'hypothèse que Bourrel se fout de leur gueule. Leur conclusion tacite est que non, pas du tout, il ne se fout de personne, quand il dit voilà il pense voilà, nulle malice, nulle profondeur. Récit terminé. Ça s'est arrêté là donc il s'arrête là.

Le capitaine extrait d'un tiroir son briquet aux couleurs de l'Olympique lyonnais. Elle fait jouer la pierre, porte la flamme à la cigarette, s'emplit de la première bouffée, pourrait siffloter. Pour une raison qu'il faudra mettre au jour, la confrontation avec l'absurde l'a toujours apaisée, voire enjouée.

— Monsieur Bourrel, si je vous ai bien écouté, nous en sommes au mois de juillet 79, date du mariage de Jeanne Luciano et Charles Deligny.

— Oui ça doit être ça.

— Vous êtes doué en soustraction?

— Pourquoi?

— Parce que ça me ferait très plaisir que vous soustrayiez 79 à 95.

Avec application le suspect compte 16 et encaisse humblement les félicitations de l'enquêtrice. C'est bien. On avance. Attendu que les faits criminels qui occasionnent la présence dans cette pièce de Gilles Bourrel ont eu lieu le 27 septembre 1995, chacun ici, lui le premier elle ose le croire, s'enchanterait que le récit brillamment commencé se prolonge pour raccorder les deux pans de vie séparés de seize ans. En somme l'interrogé serait bien aimable d'exposer les circonstances dans lesquelles il a revu Jeanne Deligny, et, soyons fous, de raconter ce qui s'est passé entre eux qui le décide à la tuer, pour le moins à la défigurer.

Bourrel demande un second kleenex. En attendant la caution d'une étude officielle, Calot juge que c'est statistiquement peu pour une garde à vue commencée il y a trois heures et quarante-six minutes.

— Je n'ai jamais revu Jeanne. Avant de retrouver sa trace en août dernier, je ne l'ai jamais revue.

Calot lance le paquet de mouchoirs vide dans la corbeille avec une satisfaction mal dissimulée. Apparemment les deux hommes présents dans la pièce ont décidé de nous faire rire.

— Pendant seize ans vous n'avez aucun lien avec cette femme et un jour vous la suivez pour la tuer?

— Pas pour la tuer.

— En l'occurrence je m'en branle l'anus. C'est pas la question. Qu'est-ce qui s'est passé, entre-temps?

— Des choses.

— Super. Merci. J'ai ce qu'il me faut. Je tape: des choses. CHOSES. Au pluriel. Pléthore de choses. Une moisson de choses. Après une pareille révélation, vous avez mérité de rentrer dormir chez vous. Besoin d'un taxi?

Calot note : choses.

— Des choses que je ne peux pas raconter.

— Eh bien moi je jure sur la tête de Freddie Mercury que vous allez les raconter quand même.

— Je ne peux pas.

À cet instant la lumière du plafonnier et un reliquat de reniflements donnent à Bourrel un air de bonne foi que dissipe l'instant suivant.

— Lucie le fera à ma place. Lucie vous dira tout.

Le capitaine expire longuement sa fumée, espérant qu'elle charrie les électrons d'impatience qui lui agacent les poumons.

— Lucie ?

— Ma compagne. Elle vous dira tout.

— Elle sait mieux que vous pourquoi vous avez tué ?

— Elle vous dira tout.

— Dois-je comprendre qu'elle nous dira tout ?

— Voilà, tout à fait.

— Et pourquoi pas vous ?

— Je ne peux pas.

Le capitaine écrase sa clope dans la tasse de Calot. OK. OK. OK. On va faire ça. Quitte à tuer une deuxième fois le chanteur des Queen, on va écouter mademoiselle Lucie qui sait tout.

Bourrel est mis en examen pour homicide. Un mandat de dépôt prestement rédigé l'envoie dormir à la maison d'arrêt de Bonneville. En lui passant les menottes pour le transfert on lui souhaite une bonne nuit, il dit merci.

Invitée par téléphone à se présenter au commissariat d'Annecy dans les plus brefs délais, Lucie Guérini promet d'être là dans moins de deux heures, ce qui laisse au capitaine et à son adjoint le temps de se partager une pizza tomates-anchois à même le carton en se posant l'un à l'autre la question qui entre toutes se pose à cette heure avancée du 14 octobre 1995. Qu'est-ce que Bourrel ne peut pas raconter? Qu'est-ce qui est plus inavouable qu'un meurtre?

12

Jouée au meilleur des trois manches, la partie de fléchettes entre les brigadiers Calot et Ferrara tourne en faveur du premier, qui explique ses 74 % de victoires à ce jour par l'adresse proverbiale des Bourguignons. Ferrara les explique quant à lui par le point d'honneur qu'il met à perdre à ce jeu pour les mioches et par ailleurs il emmerde la Bourgogne. Le capitaine Brun propose de régler le contentieux en mettant à chacun une branlée historique.

On s'occupe comme on peut.

On pourrait certes aller marcher au bord du lac, pour s'éclaircir les idées en scrutant les mouettes et l'horizon. Un commissaire télévisé le ferait. Ainsi il aurait l'air d'un commissaire.

On est aussi bien ici.

On songe que la multiplication d'aveux aussi rapides mettrait la PJ au chômage technique. On imagine que bientôt l'État n'embauchera plus des enquêteurs mais des dactylos pour remplir les procès-verbaux. On prophétise la radiation des fonctionnaires richement pourvus en cellules grises comme on a la chance de l'être.

En somme on l'a un peu mauvaise.

Si ça peut la consoler, Calot rappelle au capitaine qu'en France 32 % des gardes à vue se soldent par des aveux, certains universitaires liant cette performance nationale à l'habileté des enquêteurs, d'autres à leur brutalité.

Outre que 100 % des statistiques lui tapent sur les nerfs, le capitaine avance que les enquêteurs n'y sont pour rien. Ce qui prime, c'est l'envie de parler des coupables.

— Pourquoi auraient-ils subitement envie de dire ce qu'ils ont tu ?

— Parce que ce qu'ils ont tu les tue, Jean-Étienne.

Tout à l'heure Bourrel s'est soulagé. Trois semaines qu'il attendait de cracher le morceau qui l'étranglait. On peut disserter mille ans sur l'immoralité crasse de l'espèce humaine, mais finalement peu de ses membres supportent le poids du crime. Rappelons-nous Vincent Broussard, coffré pour avoir violé et tué une cliente de son bar-tabac d'Annemasse. Au fil de l'instruction on découvre que le même a étranglé sa première épouse quinze ans plus tôt. Des analystes à courte vue s'étonnent : le type avait réussi à passer entre les gouttes, refaire sa vie, retomber amoureux, se remarier, élever un môme, et gâche tout en récidivant. On ne devrait jamais s'étonner. Juste mettre à jour notre système logique. Broussard n'a pas récidivé malgré la belle vie qu'il avait réussi à construire, mais parce que cette belle vie le rendait encore plus honteux du premier assassinat. Un malgré cache toujours un parce que. Comme il n'arrivait pas à se traîner jusqu'au commissariat du coin pour tout avouer, son instinct a tué la première fille venue pour s'offrir un dispositif d'aveu. Pour se délester de l'impunité en provoquant la punition. Bref, il s'est pardonné d'avoir tué en tuant à nouveau.

C'est quand même pas sorcier.

Calot se donne la contenance de noter sa victoire 25-12 dans le carnet pour soumettre à sa supérieure la question qui fâche. La question taboue. La question qu'elle pourrait châtier en l'envoyant bloquer les voitures à la sortie d'une maternelle. Sans le sac plastique, est-ce qu'ils auraient retrouvé, à trente bornes d'ici, dans un bled paumé, un coupable dont le lien très ténu avec la victime date d'il y a seize ans?

Le capitaine se tait pour maintenir la possibilité d'une réponse affirmative, alors que, dans une zone marginale de son cortex plutôt conditionné au triomphalisme des équipes d'enquête, clignote la certitude cuisante mais bizarrement exaltante que, sans ce sac, ni elle ni le roi des flics ni l'ordinateur Deep blue n'auraient résolu l'affaire.

Il faudra qu'elle dissèque cette exaltation. Penser c'est disséquer. Éplucher jusqu'au noyau dur, jusqu'à l'atome insécable. Joie de la défaite? Elle n'est pas si mélancolique. Joie d'être portée par les caprices du hasard comme une feuille par le vent? Joie qu'une force l'agisse? Une entité? Un lanceur de dés.

N'empêche que pour l'heure la contrariété domine, asséchant sa fin de non-recevoir à Lucie Guérini, quarante et un ans, sexe féminin, un mètre soixante-treize, cinquante-neuf kilos, agent comptable, qui sitôt arrivée a quémandé cinq minutes avec son compagnon. Beau bout de femme.

Belle petite bouche. Maquillée pour l'occasion ou par habitude ? Mèches blondes dosées avec goût dans l'ensemble auburn. D'habitude les jolies la ravissent. La réjouissent comme un passage en revue de ses troupes impeccables par le général de l'armée des nanas. Ce soir, non. Ce soir les capteurs érotiques sont brouillés par le pressentiment que cette femme a tout orchestré. Prise dans l'ensemble psycho-atmosphérique formé à cette heure par la frustration de l'enquêtrice, la fatigue de la journée, les anchois trop huileux, la défaite aux fléchettes, l'insupportable anémie de Bourrel, l'ahurissante procuration narrative donnée à sa compagne, le tout baigné dans la lumière glauque du néon, la beauté de cette Lucie apparaît comme l'arme fatale d'une dominatrice. Le futur dirait : d'une manipulatrice.

Mais alors pourquoi s'est-elle précipitée dans la gueule du flic à la première demande ? Pourquoi n'est-elle pas déjà planquée dans un abri antiatomique creusé sous le mont Blanc ?

Inutilement soucieuse d'afficher sa mauvaise humeur, le capitaine délègue à Calot la tâche de relire à haute voix les déclarations de Bourrel trois heures plus tôt.

Lucie le fera à ma place. Lucie vous dira tout.

De fait, Lucie va le faire à sa place. Lucie va tout nous dire. Avec une rigueur qui irrite le capitaine et suscite l'admiration vaguement érectile de Calot, elle raconte sa rencontre avec Gilles en 1990 dans un bar à fromages d'Albertville par le truchement d'amis. Entre-temps, Gilles éreinté par l'usine s'est recasé comme moniteur de ski pour débutants dans une station de la vallée. Comme il cherche un boulot de basse saison pour compléter l'ordinaire et se tirer de chez son père, Lucie s'engage à demander s'ils ont besoin d'un coup de main à l'agence de tourisme dont elle gère les comptes. Le boum hôtelier en vue des JO crée des emplois dans le secteur, un rendez-vous suffit à l'embaucher à mi-temps. Il s'occupera des réservations de randonnée en groupe.

Dès lors ils passent cinq matinées par semaine l'un en face de l'autre, apprennent à se connaître, se découvrent des goûts communs notamment les animaux, multiplient les pauses clope, sortent ensemble en février 91, s'installent en août dans la maison que Gilles loue à Faverges. Mariée un an avec un connard en 82, Lucie n'aurait pas cru se remettre en couple, mais Gilles est gentil et patient, c'est pile ce dont elle a besoin. Un concubinage serein. Des week-ends shopping à Genève. Des balades en raquettes. L'amour version fleuve et non torrent.

Il y a juste une chose qui ne marche pas. Marcher au sens de fonctionner. Il y a une chose qui ne fonctionne pas comme ça devrait.

Calot note : chose. Ajoute : au singulier. Lucie demande une cigarette que le capitaine ne parvient pas à lui refuser.

En gros au bout d'un an Gilles et elle n'ont toujours pas vraiment couché. C'est-à-dire que Gilles lui fait des trucs qui lui procurent une sorte de plaisir, mais ne la pénètre pas. C'est-à-dire qu'au moment où ce serait bien utile son sexe ne durcit pas. Il est très excité, il en a très envie, il l'assure, le répète, le martèle, mais voilà le machin reste comme qui dirait un peu mou.

Les premières fois, Lucie bien sûr ne se formalise pas. Ça arrive à tout le monde, c'est le surmenage, ça viendra quand ça viendra, l'important c'est qu'on s'aime, et autres formules usuelles qui ont comme tu sais le don de redoubler la contrariété du mâle.

De fait, Gilles ne partage pas ce diagnostic fluvial. Trouve que c'est très grave au contraire. Prendre une femme c'est prendre une femme sinon ce n'est pas prendre une femme.

Ça le crispe cette affaire.

Plus il se crispe moins il est dur, moins il est dur plus il se crispe, plus il se crispe moins il supporte qu'elle se démène pour le stimuler, astiquant dans tous les sens ce qu'il appelle son gros bâton pour s'autostimuler, l'entreprenant avec bouche mains pieds, se cambrant devant lui sans impatience, s'épilant intégralement le pubis. Avant de mourir de honte, Gilles décrète la chambre à part et n'en parlons plus.

C'est elle qui remet le sujet sur la table l'hiver suivant. À la rigueur coucher elle s'en passe, la preuve, mais ne nous mentons pas : cette abstinence forcée mine leur quotidien. Elle répand dans toutes les pièces une sorte d'acouphène, sourd et assourdissant. Il faut réagir. On serait bien bête de se pourrir la vie sans avoir rien tenté. On serait bien bête de ne pas voir quelqu'un.

Gilles comprend tout de suite quel genre de personne est quelqu'un. A priori, pas vraiment son style, mais certaine résignation fait qu'il se laisse porter vers le centre-ville de Chambéry où exerce le docteur Gaviar, sexologue-thérapeute spécialisée dans le couple et l'anorexie. Dix-huit minutes plus tard, il ressort du cabinet en jurant qu'il n'y remettra jamais les pieds ni le reste. Un, c'est humiliant de parler de ça à une femme, deux il n'a pas escaladé trente-cinq ans d'existence pour s'entendre conseiller des week-ends dans un Relais et Châteaux, des surprises érotiques à base de déguisements, ou le recours à des adjuvants ludiques comme la crème Chantilly et le string pour homme. Trois, ça fait cher l'érection.

Quatre, il a en tête une thérapie beaucoup plus radicale. Jusqu'ici il avait eu la décence de ne pas le proposer mais puisque le cirque est ouvert allons-y gaiement. En plus, Lucie qui tient tant à l'aider va être servie parce qu'elle aura le rôle central. Voilà ce qu'elle va faire : elle va trouver un homme et le ramener au chalet pour coucher avec lui. N'importe quel homme à son goût. Gilles les regardera besogner, il promet que ce spectacle l'excitera et lui donnera la vigueur de la baiser bien comme il faut.

Lucie remplit une valise et part dormir chez sa cousine. Elle ne reviendra pas. Elle ne veut plus entendre parler du pauvre type avec qui elle vient de perdre deux ans de sa vie. Il la prend pour qui ? Il pense vraiment qu'elle va ravaler son orgueil pour la gloire de son engin ?

Une semaine plus tard, elle agite la cloche du chalet, la même valise à la main. C'est d'accord, on va tenter le radical. Elle veut bien prendre sur elle. Vraiment elle se fait violence, s'en rend-il compte ? Gilles s'en rend tout à fait compte mais il garantit le succès. Il a un très bon pressentiment. Quand il se masturbe, cette configuration marche à tous les coups.

Lucie retrouve le numéro d'un loueur de surf d'Albertville qui, après un rapide casting mental, lui a semblé le meilleur candidat pour le rôle. Le Jean-Pierre Illich en question s'étonne d'avoir de ses nouvelles, imagine qu'elle a quitté le mec dont elle avait argué de l'existence pour décliner ses avances. Elle explique que c'est tout comme, et qu'ils peuvent enfin faire ce qu'ils s'étaient alors interdit, mais dans certaines conditions qu'elle aimerait lui exposer s'il a deux minutes.

De sexe masculin, Jean-Pierre ne voit pas d'objection particulière à ces conditions. Pour lui l'entraide est une valeur centrale. Le moment venu, il se met à la besogne dans le salon avec le même entrain que si Gilles n'était pas assis dans le fauteuil, caleçon baissé aux genoux et main sur le sexe pour soutenir l'effort de guerre.

Effort vain. Pas plus ce soir-là que les trois autres réclamés et obtenus par Gilles, la mayonnaise ne prend. Il a beau commander ses positions préférées, ça ne veut pas. Il se sent comme impuissant. Il met en cause la morphologie de Jean-Pierre, trop fluet, trop tendre, manque de virilité. Et puis il n'aime pas qu'il se fasse appeler JP, ça le bloque.

Une autre explication serait qu'un partenaire ne suffit pas. Un partenaire à la fois, veut-il dire. Enfin bref Gilles serait pour le coup immanquablement excité si un soir Lucie ramenait deux hommes. Ou un homme et une femme. Ou deux femmes. On peut tout envisager. On a l'esprit ouvert.

Lucie sort étendre du linge. Comme souvent elle manque

de pinces. Elle se jure de les rassembler dans une boîte pour ne plus les perdre.

Un an passe.

La situation se banalise, fait partie des meubles. Même on finit par y trouver des avantages. L'avers du revers. En l'occurrence une certaine paix ; la découverte par Lucie qu'après tout l'abstinence n'est frustrante que pour autant qu'on tient au sexe. Qu'il suffit de ne pas y tenir.

Quant à Gilles, s'il n'a plus l'air d'y penser, c'est qu'il y pense tout le temps. Il n'en dit plus un mot parce que chaque nuit les mots soufflent dans son crâne un vent mauvais.

Un matin en beurrant une biscotte il évoque un type de Bourg-Saint-Maurice qui fait des miracles. Lucie demande quel type et quels miracles. Gilles précise que c'est une espèce de marabout. Son père dirait un rebouteux, ce serait excessif aussi mais on se comprend. Il paraît qu'il soigne des maladies qu'aucun médecin ne soigne. Juste en touchant et en prononçant une phrase. Une seule. On n'est pas forcé d'y croire, mais qu'est-ce qu'on risque ? Dans le genre charlatan t'as fait le sexologue tu peux tout faire.

Lucie songe qu'une telle démarche sera un parfait point d'orgue à leur quinquennat d'empêchements. Ensuite on pourra tourner la page et entamer le chapitre du bonheur.

L'homme providentiel les accueille le 12 mars 95, au dernier étage d'un immeuble de locations. Il n'est pas aussi noir que le terme marabout le laissait imaginer. Sa peau café au lait pourrait être celle d'un skieur moins les marques de lunettes, ou d'un Séfarade niçois, ou plus sûrement d'un Grec puisque c'est ainsi que la rumeur le surnomme. Les seuls éléments ésotériques apparents sont les triangles inversés du papier peint, une oie endormie sur un pouf en plastique et un poster géant de John Travolta période Grease.

— Vous avez vu Pulp Fiction?

— Non.

— Non.

— Moi non plus.

Ayant écouté Lucie exposer le problème qu'elle appelle la situation, le Grec tire dix minutes en silence sur une pipe qui est un accessoire de scène mais stimule peut-être la réflexion, comme il a bien fallu que ce soit le cas avant la cristallisation du cliché. Puis il prend la main de Gilles, pose un index sur une veine du cou pour prendre son pouls. Et lâche que la malédiction est dans le blanc.

On s'excuse de lui demander si par hasard ça le dérangerait de répéter.

Ça ne le dérange pas. Il est là pour ça. Il est là pour eux. Croyez bien qu'il ne fait pas ça pour lui.

La malédiction est dans le blanc.

Traversée par une réminiscence de sacrifice vaudou sans doute conditionnée par la présence de l'oie, Lucie comprend que le Grec s'apprête à lire le remède dans le blanc de poulet. Ou le blanc des yeux, en braquant une loupiote façon ophtalmo. Or le remède n'est plus à lire nulle part, il est déjà trouvé. Il n'a rien à ajouter. En une phrase tout sera dit, c'était le slogan du prospectus. Le règlement des trois cents francs se fait en liquide.

Dans l'ascenseur, Lucie dit qu'ils sont bien avancés, mais contre toute attente Gilles ne surenchérit pas dans l'ironie. Oui on est bien avancés, lâche-t-il sans second degré. En tout cas lui est très très bien avancé. Lui a fait un grand pas en avant dans la compréhension de lui-même. La malédiction est dans le blanc a fait jaillir et le problème et la solution.

Le problème est une fille rencontrée jadis. Blanc renvoie à elle. Blanc renvoie à sa blouse la première fois qu'il l'a vue et aussitôt aimée. C'est limpide comme une révélation. Le seul fait que la blouse lui soit apparue tout de suite vaut preuve. Le premier flash est toujours le bon.

— Et la solution ?

— Ça je l'ai appris en même temps que vous.

— À la sortie de ce rendez-vous, Gilles vous donne la clé du blanc, mais pas ce qu'il compte en faire ?

— Il m'a raconté son histoire avec Jeanne et prévenu qu'il allait la retrouver pour clore l'affaire.

— Il a dit clore l'affaire ?

— Ou régler.

— Régler ou clore ?

— Régler.

— À nous il a dit : se débarrasser d'elle.

— Moi il m'a dit : régler l'affaire.

— Vous ne lui avez pas demandé comment ?

— J'ai pensé qu'ils allaient s'expliquer. J'ai choisi de ne pas m'en mêler. Pour une fois qu'il ne me mettait pas à contribution, ça me reposait.

— Il n'en a plus parlé ?

— J'ai vu qu'il allait souvent à Annecy l'après-midi, mais je ne demandais rien.

Calot note : Annecy.

— En apprenant la mort de Jeanne Deligny vous avez fait quoi ?

— J'ai vomi.

— Et ensuite ?

— Je lui ai dit de se rendre.

— Qu'est-ce qui me le prouve ?

— Il confirmera.

— Désolé mais en l'espèce sa parole n'est pas d'Évangile.

— Alors c'est moi qui vous le dis.

— Si vous êtes complice, vous avez intérêt à mentir.

— Je suis innocente donc vous pouvez me croire.

— Pourquoi je croirais que vous êtes innocente ?

— Regardez-moi.

Le capitaine est d'abord tentée de lui retourner un gros éclat de rire. Regardez-moi. Comme si la vérité s'appréhendait avec les yeux. Comme si l'honnêteté avait une tête. Comme si on n'avait pas connu mille salauds à gueule d'ange, et vice versa. Et pourtant elle regarde. Elle fait ce que cette créature frontale comme l'innocence l'a invitée à faire. Elle la regarde qui s'est tue sans demander davantage et tripote maintenant sa boucle d'oreille en forme de cœur.

Elle la regarde et elle voit.

Effaçant la première, une seconde vue lui fait saisir bien malgré elle, malgré la délectation que lui procurerait une intuition validée, malgré son envie de coincer cette Lucie dont la perfection l'exaspère, malgré la perplexité mâtinée de mépris que lui inspire sa loyauté à Bourrel, malgré sa haine de la féminité sacrificielle, malgré la farce du blanc, que la fatale dominatrice a tout subi.

13

Au signal, Gilles se lance le long de la haie taillée de frais qui borde l'immeuble B. Sans la pluie tout est plus silencieux. Sous le soleil net de décembre rien n'est pareil. Quelques pas encore et il se fige devant la porte vitrée. Mécaniquement il compose l'ancien digicode, encore su par cœur. On lui souffle le nouveau, 96J17. 96 comme l'année, J comme jeu. Tout à l'heure quelqu'un a dit J comme Jeanne puis s'est repris. 17 comme l'heure qu'il est. Dans ce genre d'opérations la congruence des horaires est impérative. Gilles se voit glisser dans la glace murale du hall où brillent les trois bandes de ses baskets. Il s'engage dans l'escalier qui n'est pas aussi propre, il y a eu beaucoup de passage depuis ce midi. Un homme à talkie-walkie est posté devant la porte coupe-feu du premier étage, une femme mêmement équipée devant celle du deuxième. Le manque d'exercice l'essouffle, pourtant il s'entretient, quarante pompes matin et soir et des flexions pour les abdos, l'idéal serait d'installer un rameur mais il ne tiendrait pas dans la largeur.

Le troisième palier est désert. Tous les présents se sont

tassés dans le couloir, tâchant de passer une tête pour ne rien rater de la scène.

Gilles se désaxe de l'ascenseur afin qu'elle ne le voie pas tout de suite à sa sortie. Il compte sur l'effet de surprise. Peu de gens apprécient les surprises, bonnes comprises. Peu apprécient que cinquante amis les accueillent dans leur propre salon en chantant happy birthday.

Les trois minutes d'attente lui paraissent plus longues que l'autre fois. Ses mollets le démangent, il change sans cesse de jambe porteuse. Il n'a jamais pu se tenir debout en toute sérénité ; jamais pu se camper sur ses jambes comme un cow-boy avant le duel. Son centre de gravité se cherche. Le kiné de l'école de ski avait diagnostiqué une asymétrie dorsale possiblement liée à une malformation crânienne. Son père penche plutôt pour une mauvaise circulation qu'il prétend congénitale car son père à lui était pareil, une demi-heure assis lui donnait des fourmis. Il disait que c'était à cause du mauvais sang de la lignée. Son grand-père à lui s'était fait un trésor de guerre en dépouillant les cadavres de la plaine de Flandres, dans la continuité de son grand-père à lui qui s'était essuyé le fusil sur les communards. Une génération sur deux, c'est la périodicité de l'atavisme. Gilles secoue ses muscles pour conjurer sa démangeaison et sa lignée. Un enclenchement sec marque la mise en route de l'ascenseur. De sa poche intérieure, il sort un sac Bricorama et du sac un cutter qu'il cache par précaution dans sa main gauche serrée. Un son mi-aigu pouvant correspondre à un fa marque l'immobilisation de l'ascenseur. En sort une femme en imperméable ceinturé à la taille et col relevé. Elle a les cheveux moins noirs. Gilles n'engage pas son corps comme il était prévu. Resté dans son coin, il dit : les chaussures. Complète : ça va pas. Synthétise : les chaussures ça va pas. Le juge d'instruction s'avance pour comprendre. Gilles lui dit que Jeanne avait ses mocassins à la main, là en la voyant apparaître ça lui est revenu, tout de suite il a senti que ça ne collait pas et c'est ça qui ne colle pas, les chaussures. Sur le coup il a pensé qu'elle les avait enlevées comme on braque une arme, pour lui faire peur. Une milliseconde il s'est demandé comment elle avait pu prévoir cette parade. Du coup il a vu ses orteils vernis de rouge, il se souvient de ce détail c'est marrant. Le juge doute que marrant soit le mot idoine. Le capitaine Brun s'extrait du couloir bondé pour confirmer que sur la scène de crime les mocassins étaient déchaussés. Le juge hoche latéralement la tête pour faire entendre ce que la noblesse de sa fonction l'oblige à taire. On aurait pu y penser plus tôt, dit le hochement. On travaille comme des amateurs. À Paris je vous prie de croire que ce détail aurait été communiqué à qui de droit, aimerait crier le juge Ligonne récemment muté dans ce trou. Avec la même courtoisie hautaine, il prie le mannequin de bien vouloir prendre ses chaussures à la main la prochaine fois. Elle demande si les deux dans une seule main. Le juge l'incite à faire comme elle ferait dans la vie. Elle dit qu'elle n'en sait rien, elle ne porte jamais de mocassins, ça ne lui va pas, sa sœur les porte bien mais elle non, sur les fringues elles n'ont pas du tout les mêmes goûts, elles sont très différentes au fond, pourtant on les prend souvent pour des jumelles. Heureux d'apprendre tout ça, le juge propose qu'elle agisse sans réfléchir, ce qui ne devrait pas lui poser trop de difficultés.

Le pouce de Gilles fait jouer son cutter en plastique intégral. À l'accessoiriste il n'a pas osé dire que l'absence de lame changeait tout. Cette fois il ne s'interdit pas de signaler que le mannequin est plus petite que Jeanne. L'assistante de son avocat absent pour cause de deuil sursaute chaque fois qu'il dit Jeanne. Le capitaine pense que l'accusé sera heureux d'apprendre que le mannequin, par ailleurs fille aînée du lieutenant Guattari, a été choisie pour sa taille d'un mètre soixante-huit et pour son poids de soixante et onze kilos tous deux inférieurs d'une négligeable unité à ceux de madame Deligny avant sa mort.

— Jeanne est plus grande.

— Ce que vous projetiez sur elle vous l'a fait voir plus grande qu'elle n'est.

— En plus elle n'a pas du tout la même tête.

— Personne n'a la même tête que personne, c'est ce qui caractérise notre espèce.

— Là c'est très éloigné.

Le capitaine concède pour écourter qu'une reconstitution parfaite se ferait avec l'originale.

En saluant Bourrel tout à l'heure, elle s'est interdit de demander comment se passait mon séjour à Bonneville. En un sens elle est son bourreau et toute marque d'attention d'un bourreau sera jugée perverse.

Élodie Guattari demande si elle retire les chaussures tout de suite ou seulement dans l'ascenseur. Comme il vous plaira, répond le juge dont l'affabilité confine maintenant à l'odieux, ce qu'Élodie concentrée sur sa tâche perçoit à son insu. Ce matin en la déposant, son lieutenant de père a été catégorique : exécuter à la lettre les consignes du juge d'instruction. Une seule initiative malheureuse et il en prendra pour six mois de vannes au SRPJ. Plus paternel, il a ajouté : la base c'est de ne pas le prendre pour toi. Ce n'est pas toi qu'il agresse. Va pas nous faire un traumatisme en prenant tout à cœur. De la distance, toujours. De la distance sinon on est mort.

Élodie se rencogne dans l'ascenseur, chacun reprend son poste d'observation. Le juge ponctue sa demande de silence total d'un s'il vous plaît antiphrastique. Au fond du couloir une conversation se met en sourdine. Madame Nunez chuchote sa grande réticence à cette reconstitution. La résidence est déjà bien assez hantée comme ça. Ajouter un crime à un crime désolée mais c'est ce qui s'appelle tenter le diable. Son homologue de l'immeuble A comme abricot en convient mais ce sera sans doute utile pour le procès non ? Quel procès ? crie Lynda à voix basse. Il n'y a de jugement que de Dieu et il est déjà rendu. Ils peuvent condamner ce monsieur à dix ans ou vingt ou cinquante, ce sera le Club Med à côté de l'enfer éternel qui l'attend. Le juge redemande le silence, aussitôt relayé par des chut ! subalternes. L'ascenseur redescendu au rez-de-chaussée fait le chemin inverse. Élodie en sort avec ses mocassins à la main. Après trois pas, Gilles mime le geste de lacérer sa joue au cutter. Ça ne laisse pas de traces. Le juge demande de refaire mais plus lentement, en décomposant au maximum. L'idéal serait d'arriver à un rythme équivalent au ralenti des retransmissions télévisées de match, voire à la caméra-loupe de Canal +. La comparaison parle à Gilles, moins à Élodie. C'est pas grave, rassure-t-elle, elle va trouver. Elle va puiser dans ses propres émotions, ses propres failles, ses blessures. Gilles recale ses pieds dans les marques au sol et ramène au cran zéro son absence de lame. La victime passe la tête pour demander si elle doit crier en voyant l'agresseur. Le juge répond que non, les gestes suffiront, on fait la scène en pure mécanique. Élodie trouve bizarre qu'elle n'ait aucune expression, c'est pas très réaliste si elle ne réagit pas du tout. Elle propose de tenter une physionomie de peur. Le juge demande à voir. Élodie fait révulser ses yeux et se plaque une main sur la bouche. Le juge dit : la main abstenez-vous, ça n'imite pas l'horreur, ça imite le cinéma d'horreur. Par ailleurs ne faites rien avec les yeux.

Et l'avant-bras sur les yeux pour se protéger ?

Non plus.

On y retourne. Dans le silence d'avant la scène, un chuchotis lointain de Lynda demande qui va nettoyer après le passage du troupeau. Ils ont des gens pour ça dans la police ? Sûr que non. C'est toujours la même chanson. L'humanité est divisée entre les 99 % qui font la crotte et les 1 % qui la ramassent.

À l'apparition de la victime, Gilles s'approche au ralenti, en levant haut les genoux comme un cosmonaute lunaire. Élodie le voit venir et écarquille lentement les yeux en poussant un hurlement muet. Il arme le bras en image par image, elle continue à crier, une chaussure tombe en vitesse réelle, le bras est sur le point de s'abattre sur Élodie mais

Gilles coupe la prise. Désolé il ne se sent pas d'aller plus loin. Ça n'a pas de sens.

Comme le juge dit qu'en matière de sens Gilles n'a pas de leçon à donner, l'agresseur développe : un geste au ralenti ce n'est pas le geste dans sa version ralentie, c'est carrément un autre geste. À quoi sert de reconstituer si on ne reconstitue pas à l'identique ? Un frisson d'approbation parcourt ceux qui l'ont entendu. Le juge exclut d'emblée de donner raison à l'accusé, il ne s'agirait pas d'inverser les rôles, mais suggère une version en vingt-quatre images par seconde.

— Et cette fois vous allez au bout.

— Je taillade six fois ?

— Voilà. Et le cou en dernier.

— Non, pas le cou.

— Vous n'avez pas attaqué le cou en dernier ?

— Si, mais là je le ferai pas.

— Et pourquoi donc ?

— C'est pas moi qui l'ai fait. Pour refaire un geste faut l'avoir fait.

— Pardon d'être brutal mais vous avez bien sectionné la carotide ?

— Oui mais c'était pas moi.

14

Dans l'après-midi du 13 décembre, la Volvo des Deligny se gare sur le terre-plein blanchi du Centre. Les deux portières claquent simultanément. Père et fille avancent de front, leurs empreintes parallèles dans la neige, bien accordés sur la démarche. Hier Charles a dit : c'est ce que Jeanne aurait voulu. C'est ce qu'on suppose qu'elle aurait voulu. Dans l'état où elle se trouve, les deux énoncés s'équivalent.

Morten se réjouit de les croiser au bureau d'accueil. Tout renfort est bienvenu. Il ne peut plus fournir, les soignants d'ici sont trop mal éduqués, il faut tout leur expliquer. Il relève son sous-pull en acrylique pour montrer sa cicatrice sur les côtes. L'infirmier Fred doute que ça intéresse nos deux visiteurs. Morten n'en doute pas. Il a un Bruce Lee dans la tête. La vraie force est dans la tête. Il est professeur d'histoire-géo dans le secondaire. Il va guérir Gaël, il le surveille 24-24, il prend sa dose de Tranxène à sa place, un cachet le matin deux le soir, chaque jour sans jamais déroger, la constance est le nerf de la guerre.

Henriette ayant rallié la grève nationale lancée par les

cheminots, Fred les oriente vers Archibald qui n'y est pas autorisé en tant que service civique. La météo a rabattu son groupe sur la salle des ateliers où le jeune éducateur somme Lise de ramasser les lettres de Scrabble jetées par amour sur Paul-Marie qui exulte car c'est injustifiable. De toute façon il va cesser de jouer. Il faut qu'il retourne à son roman. Il commence à fatiguer. Il aimerait se réveiller un matin et hop le roman serait fini. Les douze chapitres qui lui restent se seraient écrits tout seuls pendant la nuit.

La chambre de Didier est toujours au deuxième étage de l'aile B, informe Archibald en ramassant les lettres. Léna connaît le chemin. L'ascenseur est libre mais elle préfère l'escalier.

En accompagnant Charles jusqu'au bureau de la directrice, Archibald se demande s'il doit ou peut évoquer Jeanne. Si la délicatesse qui impose d'esquiver le sujet n'est pas une ruse de la lâcheté. L'idéal serait que Charles en prenne l'initiative. Il ne le fera pas. On ne saura pas si connaître le nom de l'assassin allège la douleur ou l'aiguise. Ou si ça ne change rien à rien.

Léna remonte le couloir du deuxième étage où l'odeur de détergent se nuance d'un effluve d'urine. De la chambre d'isolement filtrent des cris qui sont peut-être de joie. Une main posée sur son épaule la fait sursauter. Elle reconnaît Vieux sage. C'est le nom qu'il a donné en se présentant ici l'an dernier. Alors qu'il n'est pas si vieux.

Vient plus, dit-il.

Amalgamant comme chacun déficience mentale et surdité, Léna hausse sa voix pour dire qu'en effet elle ne vient plus, mais c'est parce que sa mère ne travaille plus au Centre. Vieux sage se souvient-il de sa mère? Jeanne, elle s'appelle. Il tend solennellement un tract de l'Église du Retour au Christ. Min, dit-il. Il le répète trois fois. Quatre min ne font pas un mot. Léna devine qu'il veut qu'elle lui donne la main. Ou lui lave les mains? Ou revienne demain? Elle ne le peut pas, elle sera au lycée, Vieux sage se souvient-il de ses années d'école? La gueule bouteille, répond-il.

Dans l'encadrure de la chambre du bout, deux aides-soignantes dont Yvonne habillent une vieille voûtée. À les entendre elle s'appelle Suzette et rechigne à enfiler un pyjama. Elle feint de monter dans le lit scellé puis se laisse tomber au sol. Elle recommence son cirque, on dirait. Elle fait son petit numéro. Elle veut qu'on s'esquinte le dos à la relever c'est ça? Elle est méchante. Pour Suzette les méchantes sont celles qui la forcent à se coucher à 18 heures. On lui rappelle qu'elle n'a pas respecté les contrats de temps en chambre. Elle se fait révulser les yeux et rigole. Elle s'en fiche car elle n'existe pas. Moi non plus je n'existe pas, note Yvonne. Personne n'existe qu'est-ce que tu crois?

Léna passe devant la salle télé où une adolescente fixe le poste hors d'usage. Un infirmier en a brisé le verre dans un accès de rage. Après le coude, on compte deux portes et c'est la bonne. Ouverte comme toujours. Didier sourit assis sur son lit, sac Adidas sur les genoux, griffes de dragon à la proue de ses tongs orange. Nul ne l'a prévenu que c'était pour aujourd'hui mais il savait. Léna l'embrasse sur la bouche. Son survêtement fait une bosse à l'entrejambe.

C'est la première fois qu'ils se revoient depuis. Didier dit que Léna est plus jaune qu'avant. Jaune est plus clair que noir. Léna lisse une mèche en disant qu'elle s'aime mieux comme ça. Didier dit au revoir à son lit. Au revoir et non adieu. Il ignore s'il reviendra. Il ne se pose pas la question. Il arrivera ce qu'il arrivera.

Deux étages plus bas, la directrice et Charles sont convenus que si l'essai de deux mois est concluant, un tutorat officiel pourra être contractualisé, après validation des services sociaux. Ainsi au moins la volonté de Jeanne est accomplie. La directrice insiste sur le fait qu'il faudra s'armer de patience. Même fréquentes les visites aux résidents sont, du point de vue de l'investissement, sans commune mesure avec une prise en charge à domicile. Rien ne garantit la tolérance au changement de cadre d'un individu qui depuis quinze ans n'a connu que l'environnement hospitalier. Le contexte d'un immeuble, a fortiori d'une résidence, redoublant le risque de perturbations dont elle tient à rappeler que ses services le prennent avec la famille d'accueil. Quoi qu'il se passe, nous en partagerons la responsabilité.

De la voix minimale de qui trouve superflu de parler, Charles dit que de toute façon ils ne feront pas de vieux os dans cet appartement sinistre. En attendant il ne doute pas que Didier trouve vite ses marques. Il aura sa chambre à lui, la conjugale. La directrice intuite que le veuf n'y dort plus le temps de son travail de deuil. Charles devrait dire qu'il ne s'agit pas de ça, qu'il n'y a rien à réparer, il n'y a qu'un moindre mal à trouver, un degré vivable du pire, dormir dans le salon est juste moins pire, mais tant de phrases le fatiguent d'avance. Il murmure : oui, c'est ça, le deuil.

Dans le hall, Didier dit au revoir et non adieu au sapin que Hugues couronne à l'instant d'une étoile de David. Il est né le divin enfant. Or la quéquette du dictateur est minuscule. Il faut vite la changer, c'est important. Hugues a demandé l'aide du médecin-psy mais sa quéquette est gluante. Didier tire Léna à l'écart. Quand on n'écoute pas Hugues, il parle moins. La responsable de la buanderie Cathy embrasse le ventre de Didier faute de pouvoir atteindre la joue quarante centimètres plus haut. Comme on dit en Guadeloupe : que les forces de vie soient avec toi. Chantal fait signe à Didier, comme une marquise à ses gens. Il la hisse sur son dos et les voilà partis. Sur le blanc marcher est plus doux. Au milieu de la cour ils saluent le grand tilleul. L'hiver est plus fort que les écureuils. Arrivé à la voiture, il la repose et ils s'étreignent. Les humains sont plus chauds que les arbres. De la part de Geneviève, Chantal lui fait promettre qu'il ira au lac guetter Momo. Le sourire de Didier vaut promesse.

Charles le fait monter devant, il pourra choisir la musique. Didier préfère le siège arrière car c'est plus près. Plus près de quoi il ne dit pas. Léna s'assoit à côté de lui pour être plus près aussi.

On fait au revoir dans les rétroviseurs. Sur France Inter les cheminots ont voté la reconduction de la grève. Didier demande comment on devient jaune des cheveux. C'est la magie, répond Léna. La magie de la chimie. À partir de deux composants moléculaires de masse réduite et de bonne capacité de diffusion dans la fibre s'obtient un produit colorant peu soluble et peu sensible à l'élution, ce qui donne une bonne uniformité de la couleur. Didier entend ce qu'il entend. La phase d'oxydation en milieu légèrement basique explique la mise en œuvre de solutions ammoniacales à forte capacité de gonflement du cheveu. Les flocons s'écrasent sans bruit sur le pare-brise. Charles cherche l'assentiment de Didier en soufflant que le noir naturel se mariait mieux à ses yeux noisette. La nature a quand même parfois bon goût, surtout avec le concours d'un bon géniteur. Cette couleur claire, ça fait tordu. Ça fait comme un chat qui boite. Léna aime justement que ça boite mais puisque son père tient au mensonge de l'harmonie, elle promet qu'elle accordera bientôt sa couleur d'yeux. Des yeux blonds ça doit être possible puisque tout l'est. Didier dit que Léna est moins jaune que le soleil. Elle en convient mais elle n'a pas dit son dernier mot. Bientôt grâce à la chimie le soleil à côté d'elle fera pâle figure.

Charles n'a pas prévenu qu'il ferait une halte à mi-chemin. Le voyant ranger le break sur le quai de Bayreuth rayé de traces de pneus anarchiques, Léna déduit qu'il désire regarder neiger sur le lac, s'absorber dans cette féerie, mais décidément la contemplation n'est pas de mise dans ces parages. Il s'extrait de l'habitacle, prend quelque chose dans le coffre, demande à Didier de sortir, lui remet l'urne avec un soupçon de solennité. Il le regarde dans les yeux en murmurant que lui au moins en sera capable. Lui seul sait quoi faire. Et s'il ne sait pas c'est encore mieux.

Il arrivera ce qu'il arrivera.

Restés au chaud, fille et père regardent Didier approcher du bord où des vaguelettes clapotent. Quatre pas suffisent à l'immerger jusqu'à la taille. Ses yeux tâchent de percer l'eau pour voir Momo, mais sous la neige elle est moins profonde. Il hisse l'urne sur sa tête, comme une Africaine sa cruche, puis lâche les mains. Si le vent veut qu'elle tombe elle tombera.

Le vol du temps est suspendu.

Subitement Didier la reprend en main, la débouche, et d'une arabesque de bras la vide sur lui. Sous la pluie de cendre il ressemble à une statue. Charles a une exclamation. La première depuis deux mois, la dernière avant longtemps. Un hoquet d'admiration aussitôt étouffé car personne n'est admirable personne n'est libre. Didier a juste fait ce qu'il a fait. Le voici qui s'immerge totalement, et s'il le fait c'est qu'il le doit. Il doit plonger habillé dans l'eau d'hiver. Et réapparaître hilare, coiffé d'une perruque d'algues. Le visage encore gris et qu'il barbouille. Plus il frotte plus il est sale.

C'est cela qu'il a fait. C'est cela qui est arrivé.

À travers le pare-brise, Léna lui adresse des applaudissements. Didier parfois elle en pleurerait. À cet instant elle en rit et c'est tout comme.

15

Le procès de Gilles Bourrel s'ouvre le 12 novembre 1996, devant les assises d'Annecy. Il encourt jusqu'à trente ans de réclusion criminelle pour meurtre. Dans la salle des pas perdus, Bernadette Luciano écarte de la cohue le fauteuil de son époux dont la rumeur prétend que le cancer s'est déclaré juste après l'assassinat de sa fille. Elle était pourtant vivante quand il lui a annoncé le diagnostic au téléphone. Il a ajouté qu'il fallait l'accepter, une fille doit un jour enterrer son père, c'est dans l'ordre des choses.

Accroupi pour orienter son dictaphone à hauteur, le chroniqueur judiciaire du Progrès demande à ce Michel Luciano, retraité des usines Peugeot de Montbéliard, ce qu'il attend de la semaine d'audience. Bernadette répond qu'aucune condamnation ne leur rendra leur fille, donnant au journaliste l'impression qu'elle recycle une formule de chronique judiciaire.

Lucie Guérini ménage quelques mètres entre le fauteuil et elle. Tout à l'heure un bref agencement des postures et des piétinements sur le sol en faux marbre a suggéré à sa moelle épinière de les franchir pour venir saluer les parents de Jeanne, et puis c'est retombé. L'énergie. La foi. À nouveau elle n'a plus cru qu'ils puissent l'admettre dans le cercle des victimes et nouer avec elle une fraternité tragique. Maintenant il est écrit à jamais qu'ils s'affronteront.

Elle sort un miroir de poche pour se recoiffer un peu mais pas trop. L'avocat de Gilles, maître Belinski, a souligné la primauté de cet aspect. Les arguties techniques ne sont qu'une diversion, en dernière instance les critères des jurés seront de nature morale. Leur question exclusive sera : que vaut ce type ? Et par extension : que vaut la femme restée loyale à ce type envers et contre tout ? Si elle présente bien, l'accusé score. Dans le cas contraire, il prend cher. Reste à savoir ce que bien présenter signifie. Si vous n'êtes pas maquillée, ils estimeront que vous vous négligez, que vous cédez devant la mauvaise fortune. Si vous l'êtes trop, ils concluront qu'être la compagne d'un assassin n'a pas l'air de vous gâcher l'existence. Leur mansuétude a des limites : ils admettent qu'on survive à une faute, pas qu'on s'en remette.

Mais alors ? a demandé Lucie.

Alors en l'espèce on visera le moins mauvais dosage. Comme pour les marques d'émotion. Si la compagne de l'accusé pleure, on estimera qu'elle feint. Si non, on lui en voudra de le lâcher en pleine galère. En somme le procès de Lucie est perdu d'avance.

Et celui de Gilles ?

Gagnable, pense Belinski. C'est à cet égard qu'il a accepté une affaire peu lucrative au regard de ses copieux honoraires lyonnais. Il y a une marge de manœuvre. Une partie à jouer.

Il l'a dit à Gilles dès le premier parloir. C'est une partie, mon vieux, et la vérité en est exclue. Est-ce qu'un match de hockey est vrai? Il est vrai et faux, comme tout le reste. Je ne veux pas savoir ce qui a eu lieu et pourquoi. Je veux savoir ce qui, dans ce qui a eu lieu, nous rapportera des points.

Découvrant la veille le casting du procès, Gilles s'est inquiété: des femmes à presque tous les postes. Une présidente, une greffière, six jurées sur neuf officiels. Et lui sera défendu par un homme.

Belinski a minimisé le handicap. Rien ne certifie qu'une femme juge plus sévèrement un agresseur de femme. Au contraire elle peut le ménager. Non par le fait d'une hypothétique disposition de son sexe à la douceur, mais pour dédramatiser l'acte, le rendre moins terrifiant, et ainsi exorciser sa propre peur. Dédouaner un criminel, c'est un peu conjurer le crime; maintenir la possibilité d'un monde vivable. D'un monde sauvable.

Mais certes la pulsion rédemptrice n'est pas plus probable que l'esprit de vengeance. C'est à lui, Gilles, d'activer l'une aux dépens de l'autre; de faire en sorte qu'en chacune d'elles, jurées ou présidente, la mère supplante la femme. Qu'à leurs yeux l'homme coupable de meurtre devienne l'enfant victime d'une pulsion de meurtre.

Un temps Belinski a même failli demander à Lucie de rester à la maison pour jouer la carte de l'accusé seul au monde. Finalement il gage que l'existence tangible d'une amoureuse maintiendra Gilles dans la catégorie des êtres aimables. Si du moins il sait se tenir. S'il ravale les réponses bravaches et ne rechigne pas à perdre la face. La face il faut la perdre si on veut gagner. Donc profil bas. Un barbare doué de remords est réintégrable à la civilisation. Tous en face vont enclencher leur détecteur de remords, estimer bien sûr que l'accusé n'en a pas assez montré, en conclure qu'il est incapable d'empathie. Sachant qu'inversement un remords ostentatoire leur semblerait monnaie de singe. Il faut se glisser dans l'interstice entre le trop et le trop peu. Jouer serré. Trouver la bonne figure.

Entrant dans le box sous les flashs, Gilles tâche de montrer du remords sans que ça se voie.

Il porte une veste pour la seconde fois de sa vie. La première c'était le mariage de son cousin Alexis, où il était témoin.

La moitié des spectateurs songe que ce monsieur, minuscule sous le plafond haut liseré de moulures, n'a pas la gueule de l'emploi. Une minorité se demande à quoi ressemblerait une gueule de l'emploi. Pour l'un elle aurait une peau basanée, pour un autre les yeux d'Anthony Hopkins, pour un autre les lunettes rondes d'un prof de maths subi au lycée. Pour un dernier l'emploi n'a pas de gueule.

Sur son bloc à spirales, le préposé aux faits divers de la République de Savoie note puis rature l'atmosphère lourde propre aux procès d'assises. En vérité l'atmosphère n'est pas si lourde. Il réécrit quand même la phrase, elle fera une bonne accroche.

Les photographes ont droit à un dernier shoot avant de se retirer. L'accusé s'efforce de ne pas sourire. Il risque un regard vers Charles Deligny qui présentement réconforte sa sœur tétanisée par l'apparition du malfaiteur. Gilles n'a qu'un souvenir flou de la fille de Jeanne, entrevue une fois à l'occasion d'un repérage autour de l'Olympe, mais sur le banc de la partie civile il ne voit personne qui puisse avoir son âge. Qu'on l'ait dispensée ou privée, elle n'est pas dans la salle d'audience. Pour une raison obscure il s'en réjouit.

On se lève pour accueillir la cour. Dans l'esprit de Lucie s'évoquent des écoliers honorant le directeur avant de se rasseoir comme un seul homme à la demande de la présidente.

La consigne de ne rien laisser paraître de leurs sentiments fige le visage des jurés. Belinski espère que cette sévérité de façade n'informera pas leurs pensées, comme un gourou de secte finit par croire à l'origine divine qu'il s'est inventée.

À la suite d'un désistement tardif sitôt pallié, on ne compte que cinq femmes. Sans doute un souci de santé. Ou un meurtre dans sa famille. Peut-être un accès de panique devant la charge. Une sensation, supérieure au décret qu'en République le peuple est légitime, d'illégitimité.

La présidente a des lunettes.

Le premier jour d'audience est consacré à l'examen détaillé des faits reprochés.

Appelé à la barre en milieu d'après-midi, un expert réitère les conclusions consignées dans le dossier d'instruction. Compte tenu de la mobilité de la cible et de son temps d'apparition très bref avant l'agression, l'agresseur n'a pas pu viser entre guillemets sa victime.

— La viser entre guillemets?

— Il n'a pas pu entre guillemets la viser, si vous préférez.

Partant, on peut envisager que le coup létal ait été involontaire.

La présidente exige une évaluation rigoureuse. L'hypothèse est-elle probable, possible, assez probable, relativement possible? Son expertise recommande à l'expert de répondre: possible. Faut-il dès lors considérer comme approprié le terme maladresse, utilisé par l'accusé en garde à vue? Techniquement oui, mais moralement le terme maladroit semble à l'expert un peu maladroit, s'il ose dire.

La présidente l'engage à se limiter à sa science, pour la morale on s'en remettra à qui de droit, si elle ose dire.

Se pourrait-il qu'à l'inverse, Gilles Bourrel ait d'emblée ciblé la carotide et plusieurs fois raté son coup, lacérant d'autant le visage? Sur ce point l'homme à la barre s'avoue dubitatif.

Dirait-il très dubitatif?

Il dirait assez dubitatif.

Et ajouterait que si maladresse il y a eu, c'est dans l'autre sens.

Maître Belinski enfonce le clou pointé par l'expert. L'oubli sur les lieux du sac Bricorama qui l'accusera prouve que sur ce funeste palier quelque chose s'est passé que monsieur Bourrel n'avait pas prévu, brouillant sa lucidité. Ce quelque chose, c'est tout simplement la tournure fatale de sa pitoyable expédition. C'est ni plus ni moins que le coup mortel.

Maître Delattre, avocate de la partie civile, déplie ses jambes fines et trentenaires pour interpeller l'accusé:

à supposer qu'il n'ait pas prémédité la mort alors qu'il est avéré qu'il a méthodiquement préparé son expédition, ce qui au passage dénote une détermination peu compatible avec le coup de folie que la défense essaye de nous vendre, comment expliquer que, voyant Jeanne Deligny mortellement atteinte, il n'ait pas eu le réflexe de lui porter secours ?

Gilles s'est levé et tord vers lui la tige du micro.

— Je n'ai pas réalisé la gravité, madame.

— La section de l'artère cervicale provoque instantanément de très fortes projections. Il faut être dénué de sensibilité pour ne pas mesurer tout de suite l'extrême gravité des blessures.

— Tout à fait, madame, mais c'est le contraire. Je suis parti parce que je suis trop sensible. Je supporte mal la vue du sang.

Quelques rires gondolent l'onde de murmure montée de la salle. Belinski minore le point marqué par le camp adverse en feignant de consulter un dossier, puis en se levant lentement pour ne pas donner l'impression de parer à une urgence. Il ne s'est jamais vu, sourit-il, qu'un homme qui se trouve dans une disposition de coupable, et coupable personne ne nie que monsieur Bourrel le soit, encore faudrait-il savoir de quoi, il ne s'est jamais vu dis-je qu'un coupable se transforme instantanément en secouriste, comme un crapaud en prince, pardon Gilles. Il ne s'est jamais vu qu'un agresseur, même doué de sensibilité comme il serait absurde de nier que mon client le fût, endigue le sang qu'il a même involontairement fait couler.

S'abstenant de commenter ce raisonnement pour l'annuler, maître Delattre revient à la charge. À supposer que Bourrel n'ait pas eu l'intention de tuer, à supposer qu'il se soit sottement imaginé que ses coups sauvages n'entraîneraient pas la mort, comment expliquer qu'il n'ait pas pris soin d'enfiler une cagoule? L'étude des agressions sexuelles, et celle-ci en est au moins symboliquement une, ne réserve hélas aucune surprise : quand un violeur agit à visage découvert, la chance est infime qu'il laisse sa victime en vie, et plus infime encore qu'il en ait jamais eu l'intention.

Ajournant l'examen de la discutable connotation sexuelle de l'acte, Belinski observe que son client ne s'est pas non plus dissimulé aux yeux des personnes susceptibles de le croiser et donc de l'identifier sur l'aller et le retour. Or nul ne supputera sérieusement que Gilles Bourrel ait pu projeter de supprimer quiconque se présenterait sur son chemin. Voici rompu le lien logique entre visage à découvert et intention de tuer. La vérité est que mon client, au casier judiciaire jusqu'alors on ne peut plus vierge, a si peu de dispositions pour le crime qu'il n'en a pas pris les précautions élémentaires.

Renonçant à faire observer que tous les casiers commencent vierges, la présidente aimerait là-dessus entendre l'accusé. Qui se lève, ajuste la tige flexible, commence une phrase sans savoir comment il l'achèvera. L'interrompt au niveau du verbe, à défaut d'un complément adéquat. Reprend de zéro. En fait il n'avait du tout pas pensé à cet aspect.

— Quel aspect au juste?

— La cagoule, madame.

— Madame le président.

— Madame le président.

— Vous minutez votre virée, mais vous ne songez pas à vous masquer ?

— Je ne pensais pas à l'après. Après c'était après. Après, tout serait fini.

— Vous parlez de la vie de madame Deligny ?

— Non, madame. Des problèmes. De mes problèmes.

— Mais pratiquement parlant, en entrant dans cet immeuble vous vouliez quoi ?

— C'est difficile à dire. Je sais pas.

— Seulement la défigurer ? Que toute sa vie son reflet dans la glace la rappelle à votre bon souvenir ?

— Je sais pas.

— Avec des je sais pas le procès va durer deux mois.

Belinski l'écourte en intervenant. Nous autres qui à bon droit croyons au libre arbitre peinons à admettre qu'un individu ignore ce qu'il veut. Qu'il puisse être conscient sans pour autant s'appartenir. Au passage cela devrait incliner ceux qui rendent la justice à une certaine retenue dans leurs décrets. À ne pas trancher trop vite ce qui n'est pas tranchable.

Sans relever cet adjectif malheureux en la circonstance, la présidente s'engage devant la République à transmettre les recommandations de maître Belinski au garde des Sceaux. En attendant, elle propose de redescendre de ces célestes spéculations vers le concret d'un méfait qui selon le code pénal appelle sanction. D'un geste paradoxal elle relève ses lunettes pour déchiffrer le dossier d'instruction, autorisant un observateur naïf à croire qu'elle lit avec le front.

— Le procès-verbal de garde à vue ne va pas dans votre sens, maître. S'y livre un accusé très au clair sur ses intentions. Son but, dit-il et signe-t-il, était de se débarrasser d'elle.

Comme la magistrate s'est tournée vers lui, Bourrel cherche une réponse dans les yeux de son avocat qui se tait. Trois des neuf jurés ont saisi leur stylo, illustrant le sentiment général qu'on aborde un point crucial. En habitué des assises, le pigiste de la République de Savoie entoure sur son bloc : se débarrasser d'elle. Et note que la présidente rompt le silence de l'accusé.

— Ces propos lourds de sens ont décidé le juge d'instruction à vous mettre en examen pour meurtre, et conditionné la formulation de l'acte d'accusation du présent procès, que votre absence de commentaire ne fait que valider.

Pour Belinski il n'est que temps d'inviter la cour à occulter le sens actif de l'expression, pour retenir son sens passif. Il ne s'agissait pas, pour Bourrel, de débarrasser le monde de l'existence objective de madame Deligny, qui certes ne méritait pas un tel sort, tant elle aura de l'avis unanime contribué à rendre ledit monde plus agréable, mais bien de s'en débarrasser. Verbe pronominal. En débarrasser soi. Monsieur Bourrel souhaitait la faire disparaître de ses pensées, et non de cette planète, oh non surtout pas.

Maître Delattre loue les subtilités linguistiques dans lesquelles son confrère s'emploie à noyer les faits bruts.

Il n'empêche que dans l'usage courant, non universitaire, et l'on ne sache pas que le premier intéressé soit docteur en philosophie, se débarrasser signifie : tuer. Quand un parrain sicilien intime à ses sbires de le débarrasser d'un rival, les sbires en question ne s'arment pas d'un magnum pour aller balayer une pensée.

Belinski regrette que son adversaire et néanmoins consœur se rende stratégiquement sourde à la teneur métaphorique d'une expression lâchée dans la confusion hébétée d'une garde à vue. Gageons que les documents suivants, fournis par l'accusé, l'aideront à retrouver l'ouïe.

Après un bref aparté avec la présidente et un signe de celle-ci à la greffière Norah Faïd, trente-deux ans, remariée après un divorce, un vidéo-projecteur projette sur le mur latéral un vaste carré blanc qu'emplit bientôt une couverture de Télé 7 jours où sourit en gros plan Véronique Genest. Suivie d'une autre où Sophie Favier adresse à l'objectif un clin d'œil engageant.

Laissant retomber la nappe de chuchotis goguenards, Belinski précise qu'il n'entend pas rendre hommage à d'éminentes figures du paysage audiovisuel français, mais attirer l'attention, zoom aidant, sur les traits croisés qui, reliant symétriquement une tempe à la joue opposée sur les deux photos, altèrent leur beauté, à la manière des moustaches et autres bandeaux de pirate dont on s'amuse à affubler les photos de stars. S'étant assuré que chacun les distingue, l'avocat informe qu'ils ont été tracés par Gilles Bourrel en personne, dans son garage, quelques jours avant le drame.

Tracés au cutter.

À sa demande défile un diaporama de visages féminins victimes de ce que l'avocat appelle, rapportant les dires de son client, un entraînement sur papier. Chacun dans la salle reconnaît Céline Dion, Dorothée, Caroline de Monaco coiffée d'un diadème. L'identification d'Alexandra Kazan est moins immédiate. Une spectatrice interroge son neveu qui sans pouvoir la nommer la revoit présentant Star quizz, le jeu inversé. L'animatrice lisait une réponse dont le candidat cherchait la question. Réponse : Patrick Juvet. Question : quel Suisse a chanté Où sont les femmes ? Mais d'autres réponses seraient valables. Enfin d'autres questions.

Dans la 205 bleu armoire qui les ramènera à Cran, le spectateur et sa tante s'amuseront à décliner le principe. Réponse : la Bosnie. Question : où n'irai-je pas en vacances l'été prochain ? Réponse : Gilles Bourrel. Question : qui collectionne les Télé 7 jours ?

Pour l'heure le collectionneur s'enfouirait volontiers dans sa chemise. Il ne voulait pas qu'on expose ces magazines. C'est Lucie qui, étouffant sa consternation en découvrant les portraits défigurés, l'a convaincu qu'ils joueraient en sa faveur. En faveur certes pas de l'individu, mais de l'accusé. D'où Gilles a acquis la certitude plus générale qu'une issue favorable passerait par son humiliation.

La présidente se satisfait que l'accusé n'ait pas décimé la haute culture en agressant in vivo toutes ces célébrités. Écrire qu'elle est flattée par les rires déclenchés serait excessif. Le pigiste de la République de Savoie l'écrit quand même.

Posté en contre-jour devant l'écran où s'encadre maintenant le minois écorché d'Hélène Rollès, Belinski ferme lentement les paupières pour inviter Gilles à passer outre. Comme chacun l'a compris, poursuit-il, l'objectif était de tester, sur ces photos, le geste à perpétrer contre Jeanne. On peut s'amuser ou s'attrister d'une démarche dont l'enfantine naïveté témoigne une nouvelle fois du désarroi dans lequel monsieur Bourrel marinait pendant l'été 95. Qu'on en tire plutôt deux enseignements primordiaux : d'une part, l'on en jugera par l'état intact du cou de chacune de ces créatures argentiques, l'accusé ne préméditait que de s'attaquer au visage. D'autre part, éclate, par ce procédé, le ressort profond de cette malheureuse initiative : Bourrel, aussi peu assassin que vous et moi, si tant est que quiconque puisse s'exempter d'une telle potentialité, n'avait en tête que de donner un tour littéral à une métaphore bien connue. Il ne voulait, oui, que faire une croix sur madame Deligny. Comme on résilie une part obscure de soi. Comme on soigne une maladie. Comme on tire un trait, fût-ce avec la pointe d'une arme blanche, sur un pan obscur de son passé. C'est à ce dessein et à nul autre que se rapporte « me débarrasser d'elle ». Madame la présidente, mesdames messieurs les jurés, ce n'est pas madame Deligny que mon client comptait anéantir, mais sa propre obsession.

De fait, aucun spectateur ne trouve dans son passé un exemple d'individu, qu'il soit amant cruel ou père déserteur, sur lequel faire une croix ait consisté à le supprimer physiquement. Belinski a marqué un point.

Non sans avoir redit son admiration pour les spéculations byzantines de la défense, maître Delattre s'empresse d'observer que dans le schéma mental documenté par ces glaçantes expérimentations sur papier, rien ne déroge aux raisonnements classiques d'un projet de mise à mort. Tuer ce n'est jamais à proprement parler tuer une personne, mais se guérir du mal que l'assassin s'imagine que sa victime lui cause. Les deux débouchant, en tout état de cause, sur l'intolérable disparition d'un être.

L'écoutant, Belinski se donne l'air de qui n'apprend rien qu'il ne sache. Puis s'étonne que la distinction élémentaire entre balayer une femme de sa mémoire et la balayer de la planète échappe au discernement de sa consœur et néanmoins adversaire. Cependant il ne doute pas que nos clairvoyants jurés en saisissent le caractère décisif et en tirent toutes les conséquences dans le cadre de l'impossible tâche qui leur incombe, à savoir le jugement d'un homme.

16

Maurice Bourrel assiste au procès de son fils parce qu'il le doit. S'il s'écoutait, il se contenterait d'en suivre le cours dans la presse locale. Il n'écoute que son devoir. Chaque jour il sera le premier arrivé et le dernier parti. L'observation stricte du devoir parental dispense d'examiner la part d'amour qu'il y entre. Maurice ne s'est jamais demandé quel genre d'individu est son fils. Le deuxième jour d'audience, il en apprend autant que le public sur sa vie étudiante à Annecy, son idylle avec la morte, les désagréments qui l'ont mené à la retrouver seize ans après dans le but qu'on sait. La carence sexuelle de Gilles ne l'affecte qu'en tant qu'elle est exposée en place publique. C'est ce soir, roulant du tabac Drum sur la terrasse du chalet de Faverges remboursable en vingt-deux ans, qu'il poussera le sens du devoir jusqu'à en concevoir de la peine.

Pendant la première pause, Gilles a relancé son avocat sur l'opportunité de ce qu'une réminiscence confuse de procès médiatisés lui fait appeler un déballage. Belinski a maintenu son cap stratégique : tout ce qui raccorde son client à la sympathique confrérie des victimes est bon à prendre. Désolé mais puisqu'il s'agit de jouer la carte de l'enfant, rien de tel que l'impuissance. On serait sot de ne pas tirer sur cette corde. Si cette publicité vous remplit de honte, faites comme Jésus à chaque clou : répétez-vous que cette épreuve vous sauvera. Gilles songe qu'à ce prix il préfère ne pas être sauvé.

Appelée comme témoin, Lucie Guérini jure de parler sans haine et sans crainte, de dire la vérité rien que la vérité. Elle ne perçoit pas le ton paternaliste de la présidente pour l'aviser qu'en règle générale on lève la main droite et non la gauche. Elle est concentrée sur l'exécution rigoureuse du rôle écrit par Belinski. Ne pas pleurer. Apparaître sûre de son bon droit mais loyale à la cour. Suggérer en douceur que Gilles et elle ont été courageux, méritants. Raconter leurs déboires avec assez de détails pour convaincre le peuple de France incarné en jury que le cutter fut l'ultime recours d'un homme ravagé. Laisser entendre à mots couverts, juste comme ça au passage, que Gilles aurait pu aussi bien retourner l'arme contre lui, qu'en somme l'agression d'autrui est toujours un suicide détourné. A priori Lucie se pense incapable de la maîtrise syntaxique et du placement de la voix requis par une telle partition. Elle espère que l'inspiration viendra sur le moment. A tablé sur une grosse nuit pour arriver à la barre le cerveau frais. N'a pas fermé l'œil.

Évitant le regard de son compagnon qui de toute façon a le nez dans les souliers étrennés à l'enterrement de son grand-père centenaire, Lucie évoque les nombreux soirs à tenter de redémarrer la machine ; la fatigue morale et physique des lendemains de sexe raté; les premières initiatives avortées; les démarches thérapeutiques.

Le chroniqueur du Progrès s'étonne du libre cours laissé par la présidente à un récit qu'au premier rang les parents de Jeanne trouvent aussi superflu qu'est obscène la description par le menu des malheurs de l'assassin. A-t-on vraiment besoin de savoir si le couple a suivi les préconisations du sexologue pour casser la routine? Si l'achat fortement conseillé d'une guêpière a porté ses fruits?

L'assistance réprouve ce questionnaire et désire qu'il dure. On déteste ces questions dont on souhaite les réponses. Peu se bouchent les oreilles quand Lucie explique que remettre de la surprise dans une structure, le couple, qui par définition l'exclut relève de la quadrature du cercle. Que l'inaccomplissement sexuel est un sable mouvant où chaque mouvement de survie vous enfonce.

— Et les cassettes pornographiques? Cela se fait, non?

Une partie plutôt masculine du public se plaît à penser que la présidente à l'impeccable permanente rousse force son ignorance. Qu'elle fait un peu son innocente avec cette interrogation. Qu'elle connaît ça par cœur. Elle en a vu, des films. Elle est très cinéphile. En certains clignote un flash fantasmatique la mettant en scène dans des postures sexuelles variables au détail près qu'elle y porte toujours des lunettes.

Lucie confirmant qu'ils ont coché cette étape du programme thérapeutique, la présidente se tourne vers le box en quête d'une narration de l'étape suivante. L'accusé arraché à sa position assise répète ses confidences antérieures. Un ami d'ami exerçant dans l'industrie du plaisir, dite du porno, lui a bien communiqué ses techniques pour se recharger entre deux scènes. Enfin pour se remettre d'aplomb. Enfin on comprend l'idée.

La magistrate l'invite à égrener lesdites techniques, mais a-t-on envie d'entendre ça ? Est-on obligé de subir ça ? Dans la salle un silence règne qu'on suppose d'indignation.

— Il m'a parlé de douches brûlantes pour faire bouillir le sang. Il a aussi dit qu'il repensait à des trucs.

— À quoi ?

— À des scènes de films pornos.

Pour le coup la présidente serait malvenue de réprimer d'un regard d'institutrice le rire massif provoqué par sa conclusion sur le serpent qui se mord la queue, et qu'éteint par magie l'interrogation quant à l'efficience des conseils du professionnel. Efficience nulle, selon Gilles, d'autant que son ami jouait exclusivement dans des films destinés aux homosexuels.

— Vous considérez que ça ne vous concerne pas ?

— Ben non.

— Vous ne vous êtes jamais posé la question ?

— Quelle question ?

— Peu importe. Et donc à défaut d'être revigoré par les films coquins, vous en organisez à domicile.

Cette tournure jugée très cavalière par Michel Luciano et Maurice Bourrel se veut une introduction au remède radical, dont la présidente s'étonne que Gilles n'en ait pas vu d'avance le caractère possiblement humiliant.

— De toute façon je pouvais pas tomber plus bas.

— Je songeais surtout à l'humiliation de votre compagne.

— Je l'ai forcée à rien.

— Elle avait vraiment le choix de refuser un tel service?

— On a toujours le choix.

— Sauf si on est sous emprise.

— Lucie était pas sous mon emprise.

— Mais elle était amoureuse.

Pour la première fois en douze heures d'audience, Gilles regarde Lucie restée plantée à la barre, rêvant d'être une heure plus tard, s'imaginant dormir sous la mousse d'un bain, déplorant que le feu des questions soit réorienté vers elle, bégayant qu'elle a accepté en toute liberté.

L'assistance rivée à Lucie ne voit pas que cette chute de phrase allume une colère dans le cortex de la présidente, dont nul n'est censé savoir, pas même le pigiste de la République d'ordinaire avide d'informations judiciaires, qu'elle se nomme Marie-Cécile Agnelet, que son premier mari l'a battue cinq ans durant, à raison d'une séance par semaine, souvent le jeudi, et qu'elle s'est vue survivre sous ce régime tyrannique en se promettant chaque fois qu'à la prochaine elle quitterait ce monstre en toute liberté.

— Vous pesez bien ce mot?

— Lequel, madame la présidente?

— Liberté.

— Oui je le pèse.

— Vous ne pensez pas que le sentiment de liberté est la ruse la plus perverse de l'aliénation?

Lucie examine le problème avec la bonne volonté que

lycéenne elle mettait à tirer deux pages des sujets opaques de philo. Élève appliquée, c'était sur tous ses bulletins. Aux vraiment doués on ne dit jamais qu'ils s'appliquent. Toujours soucieuse de bien faire, lisait-on aussi. Lucie répond qu'à tout prendre elle était ravie d'avoir enfin l'occasion de satisfaire un désir de son compagnon.

— Et votre désir à vous?

— Mon désir à moi c'est qu'on soit heureux.

— Et ça passe par combler ses désirs à lui?

— Sur cette période, oui.

Sur cette période de cinq ans, songe Marie-Cécile.

— En somme vous viviez dans une sorte de monarchie domestique.

— Je ne comprends pas.

— Ses désirs étaient des ordres.

— C'était pour moi aussi que j'y obéissais. C'est pas marrant un homme éteint.

— Combien y a-t-il eu de ces séances?

Le pigiste de la République note que la présidente a mis des guillemets oraux à séances. Il cherche le mot qu'ils recouvrent. Écrit puis barre parties fines. Opte sans conviction pour soirées.

— Quatre.

— Dans quel état d'esprit les abordiez-vous?

— Je les prenais comme une épreuve que j'espérais utile.

— Diriez-vous que c'était douloureux?

— J'essayais de prendre du plaisir pour que ça marche. Pour que Gilles refonctionne.

— Et alors?

— Et alors j'en prenais peu.

— Vous êtes faite pour un seul homme ?

— Oui je pense.

— Or, débordant le cadre de l'assistance à mâle en détresse, vous avez gardé contact avec ce tiers.

La présidente Agnelet s'exonère du caractère intrusif de ce scoop en feuilletant le dossier jusqu'à la page concernée, lunettes sur le front.

— Il semblerait même que vous l'ayez revu en l'absence de monsieur Bourrel.

En bonne élève qui ne saurait mentir, Lucie admet que oui c'est arrivé quelques fois.

— Assez souvent pour qu'il accède au statut d'amant ?

Si Bernadette Luciano s'étonne d'un ton aussi offensif, Norah Faïd reconnaît la sécheresse coutumière de sa supérieure à l'endroit des femmes. Son intransigeance avec leur faiblesse supposée constitutive. Leur domination ne se soutient que de notre consentement a-t-elle dit une fois en pleine audience. La greffière a noté.

Que madame Guérini s'accorde une courte parenthèse de plaisir dans une vie injustement frustrée, intervient Belinski, cela n'apparaîtra immoral qu'à des cœurs de pierre. Étant entendu qu'un tribunal à vocation a dire la loi, non la morale.

L'avocat a feint d'interrompre l'interrogatoire comme on colmate une fuite. En réalité il escompte qu'il se poursuive, la mise au jour de cette séquence adultère lui offrant le double gain d'un accusé cocu et d'un camouflet public. Qui osera ajouter une condamnation lourde à ce supplice ? Tout en fronçant des sourcils indignés à l'attention des jurés, il laisse la présidente cuisiner son client sur la connaissance qu'il avait des joyeusetés subsidiaires entre Lucie et son partenaire de fortune. Réveillé d'un songe, Gilles répond qu'il vient de l'apprendre en même temps que nous.

Loin de s'imaginer que cette révélation accable moins l'accusé qu'elle le soulage de dix kilos de culpabilité vis-à-vis de Lucie, certains jurés tâchent de dissimuler un début d'empathie.

À moins qu'il ne nous mente, suggère maître Delattre, consciente que l'acharnement de la juge a détourné vers le coupable le flux de compassion qui revient de droit à la victime. À moins qu'un nouveau pli de sa perversité lui ait fait trouver quelque intérêt, libidinal ou non, à cette relation extérieure.

Lucie estime que Gilles ne savait pas mais qu'il savait. Ces choses on les sait toujours. On ne les ignore qu'autant qu'on décide de les ignorer.

Analyse d'où maître Belinski infère que l'homme saisi par le dessein contre-productif de se libérer en agressant était un homme triplement blessé.

Aucune de ses trois blessures n'est mortelle, observe son homologue dont le rouge à lèvres semble plus écarlate que la veille. En a-t-elle changé, ou bien est-ce le même qu'une conjonction de paramètres, allant de la moindre chaleur ambiante à l'heure plus tardive où elle s'est maquillée ce matin, fait mieux tenir? En tout cas Belinski apprécie le couplage avec son carré blond lui-même enluminé par le contraste avec le noir de la robe de fonction.

L'intérêt des débats étant à son goût retombé, la magistrate juge le moment venu d'informer que Mezut Besiktas, dit le Grec, appelé à Düsseldorf auprès de sa mère mourante, ne pourra pas honorer sa convocation comme témoin. Nous devrons nous en remettre à la déposition recueillie par le brigadier Calot le 3 novembre 1995 à son domicile, qui recoupe les versions concordantes entre elles de Gilles Bourrel et Lucie Guérini. Monsieur Besiktas fait néanmoins savoir à la cour qu'il décline toute responsabilité dans l'interprétation donnée par Bourrel au verdict délivré par lui. Chacun admettra que, de la malédiction du blanc au meurtre d'une ex-infirmière, il y a des années-lumière que seule la fébrilité affective de l'accusé lui a fait franchir. Si son flash médiumnique lui avait fait apparaître une blouse, il aurait précisé : blouse. Ce qui du reste eût pu tout autant nous conduire vers un physicien de laboratoire, ou un musicien de La Nouvelle-Orléans.

Maître Delattre n'aurait pas mieux dit. Bien qu'il joue aussi parfois au magnétiseur pour guérir des lumbagos, monsieur Besiktas aurait bon dos si on lui imputait même une infime partie de l'engrenage criminel. Son numéro de prestidigitateur n'a été au pire que le catalyseur d'une pulsion que monsieur Bourrel aurait de toute façon assouvie. Madame Guérini vient de nous rappeler qu'on croit ce qu'on choisit de croire. Allons plus loin : on croit ce qu'on croit déjà. Si ce blanc oraculaire a évoqué Jeanne à monsieur Bourrel, c'est qu'il y avait songé au préalable. C'est qu'en lui fermentait déjà le projet de résorber une vieille rancœur en violence.

Maître Belinski passe outre la peau de nacre de sa vis-
à-vis pour s'inscrire en faux. La partie civile sous-estime,
sinon les talents du Grec, du moins son prestige dans un
rayon qui, n'en déplaise aux esprits cartésiens, dépasse nos
frontières. On en jugera en prêtant audience à Freddy Froment, cinquante-six ans, ouvrier dans le bois, ancien
pompier volontaire. Il jure de la main droite dont les trois
doigts manquants lui valent une pension d'invalidité. Guidé
par les questions de l'avocat, il raconte sans haine ni crainte
dans quelles conditions il a eu recours aux services de monsieur Besiktas. Pour avoir été souvent vue s'enfonçant dans
une cave ou un sous-bois avec un garçon et parfois plusieurs,
sa fille Karine, dix-sept ans, commençait à avoir une réputation sulfureuse à Bourg-Saint-Maurice. Monsieur Froment
a voulu mettre sa famille à l'abri du déshonneur, et sa petite
dernière, Jennifer, à l'abri des mauvaises langues de vipère.
C'est compliqué pour une fillette de sept ans d'entendre
que sa sœur est une prostituée gratuite.

Il attend l'acquiescement de la présidente pour continuer.
Elle acquiesce, il raconte qu'à la première visite, le Grec l'a
hypnotisé.

— Il pratique l'hypnose?
— Pour ses loisirs, il m'a dit.
— Alors pourquoi il vous a hypnotisé vous?
— Pour ses loisirs. Il paraît que j'ai parlé en allemand.
— Vous parlez allemand?
— Non.
— On est sûr que c'était de l'allemand?
— Je sais pas. C'est le Grec qui l'a dit.

— Et il en est ressorti quoi?

— Deux mots: cinq, Jean-Claude.

— Jean-Claude c'était une traduction de l'allemand?

Freddy ne s'est pas posé la question, tout de suite frappé par l'évidence que cinq correspondait au nombre de jours de réclusion dans sa chambre imposée à Karine en punition d'une de ses frasques, et que le second mot renvoyait au collège Jean-Claude-Killy dans les toilettes duquel la jeune fille avait été surprise prodiguant une fellation à un surveillant. Quant à la solution pour extraire le diable de son corps, le Grec l'a délivrée en deux mots aussi: chambre, Chambéry. Déménageant pour prendre une chambre à Chambéry, la jeune fille se mettrait hors de portée des ondes toxiques qui la rendaient incontrôlable. Remède que monsieur Besiktas conseillait de compléter par une séance seul avec la malade moyennant un léger supplément d'honoraires. Ce qu'il a fait peu après, et avec succès.

— Avec quel succès?

— Je sais pas. C'est le Grec qui l'a dit.

Freddy Froment est autorisé à se retirer. Il remercie madame le juge. S'il peut encore rendre service, il reviendra.

On connaissait les talents en sexologie de monsieur Besiktas, ironise maître Delattre, le voici maintenant travailleur social et réconciliateur de familles. Il paraît aussi qu'il multiplie les pains.

L'heure n'est pas, rétorque Belinski troublé à son insu par le mot sexologie sorti des lèvres rouges de sa vis-à-vis, à évaluer les pouvoirs occultes du Grec, mais son pouvoir de persuasion, a fortiori lorsqu'il s'exerce sur un individu rendu influençable par son désarroi devant l'impossibilité au moins technique d'accomplir son programme d'homme.

La présidente fait lever l'accusé.

— On vous dit «blanc» et aussitôt vous songez à une femme sortie de votre vie?

— Faut croire qu'elle en était pas sortie. Pardon: il faut croire qu'elle n'en était pas sortie.

— Vous diriez qu'elle vous hantait?

— Quand monsieur le Grec a dit malédiction, j'ai pensé à elle.

— Comme déjà suggéré, le blanc renvoie à plein d'autres choses qu'à une blouse. À la neige, par exemple. Par ici ce ne serait pas incongru.

— Justement c'était trop direct. Et puis la neige je ne vois pas bien le rapport avec mon histoire.

— Par contre vous voyez le rapport entre deux femmes connues à vingt ans d'intervalle.

— Ce sont deux femmes avec qui je ne couchais pas.

— Avec qui vous ne parveniez pas à coucher.

— Avec qui on n'y arrivait pas.

— Pourquoi n'avoir pas parlé à Jeanne plutôt que de lui tomber dessus de la façon qu'on sait?

— Le mal était fait. C'était plus l'heure de parler.

— C'était l'heure de quoi?

— Je ne sais pas.

— De la tuer?

— Je ne voulais pas la tuer.

— Vous vouliez quoi?

— Me désenvoûter.

— Au cutter ?

— C'est ce qui m'est apparu. Je ne peux pas l'expliquer. J'étais envoûté.

— Envoûté par le Grec ou par Jeanne ? On s'y perd.

L'assistance confirme, et son agacement est perceptible. Le but d'un procès n'est pas d'obscurcir une affaire mais de l'éclairer. Mettre en ordre nos idées et le monde, plutôt que d'étendre le chaos. Il y a presque mensonge sur la marchandise.

— Si je savais quoi est la cause de quoi j'en serais pas là.

Il grimace pour ne pas pleurer. Si cela lui était permis, Maurice se lèverait poser une main penaude sur son épaule en disant allons allons. Et ne se sentirait pas moins impuissant. Éprouverait mieux que jamais qu'un père ne peut rien pour son fils, surtout quand il se débat pour ne pas offrir ses larmes en pâture à cent pèlerins. Si Gilles parvient à endiguer le torrent, c'est tout seul, en s'accrochant à la promesse faite à soi de ne pas craquer ; d'épargner aux proches de Jeanne un odieux renversement de la hiérarchie des malheurs.

Belinski échoue à percer dans l'attitude des jurés le sentiment que ces larmes dépassent la dose. Tout juste en voit-on un écrire un mot à l'attention de sa voisine qui sourit et répond sur le même support. Cette inédite légèreté les révèle-t-elle d'ores et déjà délestés de la responsabilité de condamner à une peine lourde ? En tout cas, maître Delattre flaire que les derniers échanges ne plaident pas en sa faveur. C'est l'intérêt du camp du coupable de parler de tout sauf du crime. De déporter la discussion vers le pan d'existence de l'accusé qui le relie à la partie de l'humanité qui ne tue pas ses semblables. Il faut vite changer d'angle. Revenir, si vous le permettez, au fait brut : une femme dans la force de l'âge est morte dans des souffrances atroces. Revenir, oui, à ce qu'il faut de haine pour perpétrer une telle horreur, et à l'origine de cette haine. Non pour l'excuser. Bien au contraire. Pour en prendre l'effrayante mesure.

Les joues rosies par la ferveur et l'air confiné de cette fin d'après-midi, maître Delattre est inarrêtable, irrésistible.

Rappelons-nous qu'en 1979, l'accusé a interprété la liaison de sa victime avec Charles Deligny comme relevant du calcul social. L'une des pitoyables lettres écrites a l'époque accusait élégamment Jeanne d'avoir préféré, deux-points ouvrez les guillemets, le fric à l'amour. On objectera que ces dires commencent à dater, mais pendant l'instruction Bourrel a avoué que cette interprétation lui a, je cite encore, collé aux tripes, pérennisant son ressentiment contre celle qu'il avait cru aimer et qu'il ne voulait que posséder. Un fiel si durable n'avait décidément pas besoin du Grec, dont on aura mesuré le sérieux au zèle qu'il a mis à venir s'en prévaloir devant la justice du peuple, pour se donner violemment libre cours, étoffant la longue liste d'hommes prompts à punir une femme de les avoir quittés.

Belinski ne jurerait pas sur la tête de son fils avocat d'affaires que la présente diatribe antimasculine, panachant d'insolence le foncier affriolant de madame Delattre, ne lui a pas procuré un frisson érotique prolongé en un fort désir d'agréer la jeune femme qu'il doit surmonter pour tourner une objection : gardons-nous de faire payer à un individu les innombrables vices de sa gent. Nous ne jugeons pas le masculin, nous jugeons un homme. Un seul homme. Et même un homme seul.

Sans doute ravie de voir sèchement rembarrés les pénibles accents victimaires de la partie civile, la présidente demande à Gilles s'il se souvient avoir eu une lecture sociale de sa rupture avec Jeanne.

— C'était pas seulement moi, madame.

— Madame la présidente.

— Tout le monde disait qu'il l'avait attrapée avec l'argent de ses deux pharmacies.

— Finalement vous aviez beau être amoureux d'elle, vous ne la teniez pas en grande estime.

— Je comprends pas.

— Peu importe. Vous étiez communiste ?

— C'est-à-dire ?

— Vous en aviez contre les bourgeois ?

— Je sais pas. Ça me paraissait bizarre que Jeanne parte avec un type de douze ans de plus.

— Si les femmes sont tenues d'aimer des hommes de leur âge, ça va faire beaucoup de couples à remettre aux normes.

Marie-Cécile prendrait-elle goût aux rires de l'assistance ? Charles lui-même s'est fendu d'un petit rictus. Jeanne lui avait dit : remarie-toi avec une fille de vingt ans, moi j'ai des cheveux blancs je suis périmée. Et lui : ne sois pas impatiente de te débarrasser de moi. Il avait laissé au notaire des consignes pour qu'elle dispose de tout. Qu'elle finisse ses jours au Pradet en pensant à son défunt mari.

— Formuleriez-vous aujourd'hui les mêmes soupçons sur le couple Deligny?

— Je sais pas. De toute façon ça sert plus à rien.

— Et si ça «servait», vous penseriez encore que Jeanne a préféré le fric à l'amour?

— Non. Si. Je le pense un peu. Mais je ne veux pas le dire.

— Et pourquoi donc?

— Je sais pas, madame. Y a des choses qu'on peut dire d'une vivante mais pas d'une morte.

17

Le troisième jour s'avance Émilien Rocancourt, psychologue, enquêteur de personnalité. De sa Typologie des agresseurs à l'arme blanche publiée aux Presses universitaires du Jura, il déduit que techniquement l'accusé ne présente aucun signe de dangerosité. Gilles Bourrel pourrait vivre cent ans en liberté sans récidiver. À moins qu'une nouvelle défaillance de son sens moral ne le rebascule dans la violence.

— Mais n'est-ce pas le cas de tout un chacun ?

— Bien sûr que si.

— L'accusé est-il plus que d'autres sujet à des pulsions ?

— Rien n'autorise à le penser.

— Diriez-vous que monsieur Bourrel n'est pas plus dangereux que quiconque ?

— Certains chiens méchants ne mordent jamais, certains chiens gentils défigurent un bébé.

— Merci pour cet apport.

Le docteur Benitez, pédopsychiatre et auteur d'un thriller ancré dans le milieu de la pêche, lui succède à la barre pour observer que le cutter est et n'est pas un phallus palliatif.

Une opération de nature substitutive se serait donné un symbole plus conforme aux dimensions fantasmées. Un poignard, un fusil de chasse, que sais-je un bazooka.

Dans le même ordre d'idées, une faible proportion des hommes à dysfonctionnements érectiles en vient à tuer. Que tous les viols soient en quelque part un aveu d'impuissance n'entraîne pas que tous les impuissants violent. La pathologie de Gilles Bourrel ne fournit pas une matrice suffisante à son geste.

— Diriez-vous alors qu'elle ne le prédispose pas plus à la violence que quiconque?

— Je le dirais.

— Bien. Je crois que nous vous avons assez entendu.

Hélène Maigret, née Richard, trente et un ans, célibataire, un enfant, cuisinière au gîte du Plateau situé en amont de Mercury, est appelée à la barre par Belinski pour raconter sans haine ni crainte sa relation avec l'accusé au printemps 87. On n'ira pas par quatre chemins: a-t-elle observé chez lui des comportements anormaux?

— Anormaux c'est-à-dire?

— Loin de moi l'intention d'induire vos réponses.

Un juré demande une cartouche de stylo à son voisin qui écrit au bille et pense présentement à ses impôts.

— Est-ce que par-derrière c'est normal?

Belinski dose son sourire. La présidente tient son rang de présidente.

— Ma question portait davantage sur l'assiduité des rapports.

— Assiduité c'est-à-dire?

— La fréquence des rapports.

— On n'arrêtait pas. Des vrais lapins. Pour lui j'étais un plan cul, faut pas se mentir. Quand il s'est lassé, il m'a jetée comme une merde, pardon comme une chaussette. Sans le dire en face bien sûr. Jamais vu un mec aussi lâche. Un soir en boîte il m'a laissée me faire emmerder par un gros lourd imbibé de vodka, il avait peur de s'en prendre une. Quand on l'accuse d'avoir tué ça me fait bien rire parce qu'il en est bien incapable.

Maître Delattre juge pertinent de rappeler que la cour n'est pas censée évaluer la peur de monsieur Bourrel de recevoir des coups, mais sa propension à en administrer. Par ailleurs l'idée que tuer demande du courage la sidère, pour ne pas dire la scandalise. Presque toujours lâcheté et violence cheminent de front. L'une est le bras armé de l'autre. La brutalité est l'audace des pleutres.

Incertain si les confidences subsidiaires de l'ex-maîtresse servent sa cause, Belinski s'empresse d'en venir au point favorable. Par-delà les incompatibilités qui se sont fait jour entre eux, comme chacun aura constaté qu'il arrive souvent entre amants, nous sommes là en présence d'une relation dont le registre dominant n'était manifestement pas senti-mental, n'est-ce pas?

— Le registre c'est-à-dire?

— Entre Gilles et vous il n'y avait pas d'amour.

— C'est clair. Sauf si l'amour et le cul c'est pareil.

Invitant mademoiselle Maigret à regagner sa place, ce qu'elle fait en boitant pour une raison non élucidée, Belinski verbalise ce que le comparatif entre cet épisode et les autres relations narrées depuis hier établit rigoureusement : Gilles Bourrel gère très bien le plan sexuel d'une relation sans amour ; alors que l'amour, et la présence de Lucie en ces lieux prouve que son histoire avec Gilles y ressortit, crée sur ce même plan un blocage dont chacun comprend désormais qu'il est l'après-coup traumatique de la relation, amoureuse aussi quoi qu'on dise, avec Jeanne.

La transition est toute trouvée avec le docteur Romand, expert médico-psychologique, contributeur à un essai collectif sur l'origine utérine de l'autisme. Il ne nous fait pas l'injure de rappeler que les blocages sexuels sont d'abord des blocages mentaux. Moyennant quoi on sera tenté de tirer quelques conclusions de l'origine italienne, a fortiori du côté du père, des deux femmes aimées.

— Quelles conclusions ?

— Certaines conclusions.

Par ailleurs mesdames Deligny et Guérini ont respectivement cinq et six ans de plus que monsieur Bourrel, tandis que l'amante précédemment entendue en a dix de moins. Donnée qui, conjointe au motif central du blanc, qu'on sait psychiquement corrélé à la pureté donc à la maternité, et rapportée à la première rencontre entre Jeanne et Gilles où domine le schème sanguin, lié comme on sait au principe de vie lui-même rapportable à l'instance maternelle elle-même introduite par la référence infirmière, explique la déficience chronique de l'accusé : dans la maîtresse aimée, le sujet Bourrel voit sa mère, ce qui, par intériorisation de la prohibition de l'inceste, active des mécanismes plus vastes de prohibition, et par suite la neutralisation de l'organe pénétrant.

Le juré désormais outillé d'un crayon à papier écrit Bourrel ne bourre pas elle. Puis tapote l'épaule voisine pour demander une gomme.

Voyant à tort ces analyses nous mener tout droit à une décriminalisation du crime, maître Delattre y relève deux failles. Faille numéro 1 : dans la scène supposée primitive, c'est Gilles qui donne son sang et donc la vie. C'est lui la mère, s'il faut absolument qu'il y en ait une. Faille numéro 2 : Lucie n'est ni infirmière, ni spécialement encline à s'habiller en blanc. Symbole pour symbole, son métier de comptable regarde davantage vers la fonction paternelle.

Avec la patience condescendante de l'expert rompu aux objections inexpertes, le docteur Romand invite à se décoller d'une acception littérale. Peu importe qui donne le sang, ce qui compte c'est le don en soi. Peu importe que l'une ou l'autre s'habille en blanc : par un jeu de contamination, le trope blanc colore tous les actants de la chaîne. Si X aime Y associée au blanc, alors Z aimée par X y est aussi associée.

Le juré au crayon copie sur sa voisine qui pour plus de clarté a relié les lettres-symboles aux prénoms concernés. Lucie = Z. Jeanne = Y. Et donc Gilles = X.

Le psychologue ajoute qu'un certain nombre d'éléments de l'enfance de Bourrel profilent une relation de type fusionnel avec la mère, qui, aussi vrai qu'elle autorise et même facilite une relation procédant du plan cul entre guillemets, interdit l'immixtion d'une femme aspirant à être non plus seulement pénétrée mais aussi aimée.

— Sa mère a quitté le foyer en 1969, alors que Gilles avait treize ans !

— L'absence n'empêche pas mais facilite la fusion. Une absente est omniprésente. Laissant derrière elle un fils en souffrance œdipienne, elle lui rend impossible une cristallisation sexuelle allogène. Ce que confirme un autre point commun entre les deux relations : la première a lieu juste après le départ de la mère, la seconde…

— Huit ans après !

— Huit ans après, c'est toujours après. L'épisode hyposexuel avec Lucie est postérieur au décès de madame Bourrel d'un cancer du poumon en 1985.

— L'épisode hypersexuel avec mademoiselle Maigret se déroule en 87.

— Je répète que cette jeune femme est en tant que telle exclue du champ symbolique de la Mère.

— En somme vous nous dites que la mère évoque la mère lorsqu'elle évoque la mère, à défaut de l'évoquer quand elle ne l'évoque pas.

— Je dis des choses que vous ne semblez pas disposée à entendre.

Maître Delattre assure qu'elle y serait disposée si cette salle d'audience était équipée d'un divan, ce qui inspire à Belinski l'image mentale d'elle et lui testant un usage non analytique dudit meuble. Le docteur Romand craint qu'à rester ainsi en surface, madame Delattre ne percera jamais aucun mystère de l'âme. La présidente suspend la dispute en réveillant Gilles qui se lève plus pesamment que jamais. Son corps chaque jour moins apte à se porter. Le chroniqueur du Progrès note puis barre que le procès est son calvaire. Pour quel accusé un procès ne tourne pas au calvaire. Reste que c'en est un pour Bourrel. Il entoure la phrase barrée.

— Avez-vous souvenir d'une mère trop proche ou trop distante ?

— Plutôt distante, quand elle est partie.

— Et quand vous viviez ensemble ?

— Je sais pas. Parfois proche, parfois moins. Ça s'équilibrait.

— Vous l'aimiez ?

— C'était ma mère quand même.

— Pensez-vous que le dénouement tragique de son cancer ait eu des conséquences sur vous ?

— Oui, madame.

— Madame le président. Lesquelles ?

— J'ai arrêté de fumer.

Dans l'après-midi, amis et collègues se succèdent pour dessiner le portrait d'un Gilles menant une vie sans histoires vouée à rester sans drames. Personne ne l'aurait cru capable d'un tel acte. Mains accrochées à la barre comme pour s'y tenir, Simon Cabrol raconte n'avoir jamais réussi à enrôler son copain d'enfance dans une partie de chasse. Gilles trouvait cruel de tuer des animaux. Et si on évoquait les probables centaines de fourmis écrasées par lui, il précisait : les mammifères. Tuer les mammifères est cruel parce qu'ils nous ressemblent. Tuer des mammifères ou des humains c'est aussi grave.

Ajoutant sa voix au concert de louanges, Valérie Granger, cinquante et un ans, vice-championne de Savoie de patinage de vitesse en 1973, secrétaire à l'agence Valtour où Gilles a contractualisé un mi-temps en 1993, s'en voudrait quand même, puisqu'elle a juré de dire la vérité toute la vérité, de ne pas rapporter un truc qui lui est revenu cette nuit alors qu'elle cogitait son témoignage et d'ailleurs ça lui a donné mal au crâne donc elle s'excuse d'avance si ses phrases sortent dans le mauvais ordre. Le truc c'est que Gilles est, comment dire, un peu raciste. Enfin raciste c'est pas le mot parce que ça concerne surtout les gens qui viendraient par exemple du Maghreb ou du Maroc et tout ça. À l'agence on n'en voit pas beaucoup, c'est plutôt des Allemands et des Parisiens qui réservent, mais les rares fois où des gens comme ça ont débarqué, Gilles a lâché une remarque pas très sympa. Genre que les filles de la vallée avaient intérêt à planquer leurs bijoux. Ou qu'il allait y avoir des bastons dans les boîtes de nuit. Des sortes de blagues mais bon les blagues c'est pas que de la blague et donc je me suis dit que si on me demande si Gilles est un gars bien ma réponse sera pas la vérité toute la vérité si je ne réponds pas que oui vraiment un gars bien sauf ça.

Maître Delattre se compose la mine de celle que ce trait de personnalité de l'accusé n'étonne pas. Voyez messieurs dames comme tout est dans tout.

Sans contester aucunement ce témoignage, maître Belinski regrette qu'on perde le fil. A-t-on jamais vu Gilles commettre la moindre violence sur un Maghrébin ? De simples mots balancés à la volée, si discriminatoires sonnent-ils, font-ils de lui un criminel en puissance ? Si tous les gens pris d'une démangeaison raciste devenaient des assassins, croyez bien que l'espèce humaine s'auto-exterminerait en deux semaines. Aussi serait-il bien hasardeux de rapporter ces plaisanteries d'un mauvais goût hélas très répandu à la mort de madame Deligny, savoyarde depuis au moins trois générations du côté de sa mère. Déjà dérisoires, les faits exposés à l'instant seront réduits en poussière par le témoignage suivant.

Jean-Jacques Vadaure, soixante-neuf ans, propriétaire d'un garage de chasse-neige, raconte d'une voix mal audible qu'au printemps 1984 son fils Nicolas est tombé dans une crevasse lors d'une virée en hors-piste. Ses appels au secours ont fini par attirer l'attention de Gilles Bourrel, engagé dans une expédition semblable, et qui décide de rester sur place, pariant que dans le noir déjà tombé les équipes de recherche repéreront sa combinaison vert fluo beaucoup mieux que celle de l'accidenté au fond de sa geôle de glace. Commence une longue nuit par – 9 degrés, à discuter de n'importe quoi pour tenir éveillé Nicolas épuisé par sa fracture du tibia, à énumérer les champions olympiques de slalom depuis l'après-guerre, à boire de la neige pour se dégeler les mains en pissant dessus, à sautiller en chantant Heart of glass. Les secours arrivent à l'aube, remontent Nicolas, offrent un café chaud à Gilles qu'ils couvrent d'éloges. Des gens comme lui c'est bien que ça existe.

La présidente s'étonnant que Nicolas ne soit pas venu

raconter en personne cet épisode, monsieur Vadaure répond que son fils était dans l'impossibilité de le faire, ayant mis fin à ses jours en 1993. La même année que Bérégovoy, pense Charles sans le vouloir. En fait Nicolas n'a jamais supporté l'amputation d'une jambe consécutive à son séjour dans la crevasse. Mais ça Gilles n'y est pour rien. Au contraire. Sans son altruisme, les deux jambes y seraient passées, et tout le corps. Pour monsieur Vadaure, Gilles ne sera jamais un assassin, quoi qu'il ait fait par la suite. Jusqu'à sa mort il sera dans son cœur celui à qui son fils a dû la vie.

18

Quand Patrice Bissonnet et Isabelle Guibal raconteront qu'ils se sont connus dans un jury d'assises, ils captiveront leur auditoire à tous les coups. Bientôt ils ne compteront plus les fois où ils auront détaillé, sans lassitude, excités au contraire par le succès garanti, leur insolite rencontre consommée en mariage trois ans plus tard sous les voûtes de l'église Saint-Furlin justement dressée face au tribunal. Détaillé les heures d'audience à s'écrire des petits mots en se cachant de la présidente comme d'une institutrice. Parfois Isabelle signale le bâillement d'un assesseur ou le nez tordu d'un témoin, Patrice feint de la gronder avant de surenchérir. Parfois il relève une faute de français qu'Isabelle s'amuse à empirer. Quand elle écrit que l'avocate est canon, il répond que sous ces moulures la plus belle femme est plutôt dans le jury. Le message est passé. Pendant les pauses, ils s'appliquent à respecter la consigne officielle de ne pas commenter l'affaire. Au déjeuner s'évoque la tuerie de Chamonix, survenue le mois dernier dans un chenil, mais pas notre crime. Personne ne doit influencer personne. La présidente qui fêtera bientôt ses trente ans de métier n'influencera pas les délibérations.

Le dernier matin, la parole est donnée à la partie civile qui engage la cour à sanctionner exemplairement un acte aussi ignoble que réfléchi. Il n'est certes pas de crime que n'atténuent certaines circonstances, mais aucune circonstance n'atténue la peine des proches de Jeanne qui devront vivre avec le souvenir de son beau visage méconnaissable.

Quand maître Louis, représentant du ministère public, requiert une peine de dix-huit ans de réclusion criminelle, Gilles calcule que cette peine le fera sortir en 2014. Il aura cinquante-huit ans et peu d'années de ski devant lui. Maurice Bourrel calcule qu'il ne reverra jamais son fils en liberté. Lucie Guérini aime autant ne pas calculer.

Maître Belinski consacre une moitié de sa plaidoirie à une réflexion plus générale sur l'esprit d'une condamnation au nom de la République. Sert-elle à punir ? Pour une part oui, et son client est le premier à réclamer qu'on ne laisse pas impuni un acte qui, même involontaire, a privé le monde d'une femme dont la dévotion à ses semblables rend la disparition encore plus irrémissible. Mais une condamnation se pense à l'aune d'un autre objectif, celui de protéger. Protéger la société des individus qui, plus ou moins sciemment, y injectent une dose hélas invariable de violence. Protéger les citoyens de la folie qui parfois vient aux hommes. Gilles Bourrel représente-t-il une menace pour la société, et en premier lieu pour sa composante féminine ? Chacun voit bien que non. Ce geste délirant, pulsé par on ne sait quel ressort, ne sera suivi d'aucun autre d'égale gravité. À telle enseigne qu'une lourde peine, sûre de détruire celle de Gilles Bourrel, ne sauvera aucune vie.

Puisque la procédure prévoit que le dernier mot lui revienne, Bourrel déplie une feuille qui tremble entre ses doigts. Lors de leur dernier échange, son avocat a redit qu'en lisant un texte il semblera une marionnette ventriloquée par son avocat. Gilles est resté sur son idée. Il a trop peur qu'une allocution improvisée lui fasse oublier l'essentiel, à savoir qu'il ne demande pas pardon puisque son acte est impardonnable. Il prie juste la famille de la défunte de bien vouloir l'excuser. La formule lui vient de sa tante Jeannette qui disait que s'excuser est impoli car on ne peut excuser soi. Il faut prier les autres de nous excuser, plutôt, et les laisser décider si nous méritons de l'être. Gilles prie la famille et les amis nombreux de Jeanne de l'excuser. Il pense surtout à sa fille qui croit-il savoir s'appelle Léna. Il aurait souhaité lui parler les yeux dans les yeux. Le courage de le faire lui aurait peut-être manqué mais au moins il aurait essayé. Puisqu'elle est absente, il aimerait que son père lui transmette qu'il lui souhaite de tout cœur une belle vie malgré tout. La sienne sera moins douloureuse s'il sait que Léna a réussi à se reconstruire, si jamais est possible après ce drame horrible. Sans doute qu'une partie de la grande force de Jeanne est passée dans sa fille. Au départ Gilles avait écrit : dans les veines de sa fille. Belinski lui a suggéré de changer, Gilles a changé sans saisir le souci. Il remercie le public de l'avoir écouté, replie la feuille, relève les yeux pour chercher le regard de Charles qui soutient le sien et c'est pour lui dire qu'il ne transmettra rien du tout.

Alors que le jury s'est retiré pour délibérer sur son honneur et sa conscience et sous la tutelle neutre de la présidente, le chroniqueur du Progrès recueille les impressions de Lucie à la sortie des toilettes où elle a changé de tampon. Elle est heureuse d'être arrivée au bout. Parfois elle a eu l'impression qu'on la jugeait elle. Penser cela est un peu déplacé, à cette heure elle n'est pas la plus à plaindre. Elle espère que ces confidences resteront entre nous. Promis, dit le journaliste en notant. Lucie regarde Bernadette Luciano libérer un sandwich aux rillettes de son emballage aluminium pour le tendre à son époux en fauteuil. Maintenant qu'ils ont vécu cette semaine ensemble, ils accepteraient peut-être d'échanger avec elle quelques mots, une étreinte. Cela n'arrive pas. Le chroniqueur demande à Bernadette si elle est prête à pardonner à Bourrel. Bernadette hausse les épaules. Évidemment qu'elle pardonne. Elle pardonne tout ce qu'on veut et ça change quoi?

Sorti fumer une Camel au soleil, Belinski envisage le possible effet boomerang du texte de Gilles. La dernière phrase au moins était de trop. En matière de sentiment, il faut retirer le gras. À l'inverse de certains lecteurs de roman, les jurés n'aiment pas qu'on force leurs larmes. Un metteur en scène célèbre le disait à ses acteurs : c'est au public de pleurer, pas à toi.

L'église Saint-Furlin sonne quatre coups que Maurice Bourrel trouve trop aigus.

À l'intérieur, maître Delattre partage l'optimisme de la sœur de Charles qui estime qu'il sera desservi par son absence de remords. Elle dit il pour l'assassin car le nommer

176

écorcherait sa bouche pieuse. Les jurés ont bien vu qu'il est incapable d'empathie, ils en tiendront compte. En face d'elle la sœur de Jeanne touche du bois. Elle touche réellement le bois de chêne d'un des bancs adossés au mur des pas perdus. Charles est sans opinion.

L'avocate s'écarte de la partie civile pour écouter le message de la directrice d'école sur son portable Nokia. Son fils grippé peut quitter plus tôt s'il le souhaite. Anne-Élisabeth calcule qu'un verdict dans l'heure lui permettrait d'attraper le 17 h 42, arrivée 18 h 45 à Grenoble. Elle appelle la baby-sitter qui par miracle peut passer prendre le petit. Puis la directrice pour la prévenir que quelqu'un arrive. Puis son mari pour l'informer de tout ça.

Après quatre heures de délibéré, la présidente, ses assesseurs et les neuf jurés entrent dans le prétoire. La présidente dit : accusé, levez-vous. Gilles est pris de court par l'irruption dans le réel de cette formule de cinéma. Une fois certain que c'est bien lui qu'on accuse, lui qui se lève, lui qui ferme un bouton de chemise oublié, il ne sait pas quoi faire de ses mains privées de la tige du micro. Le long du corps ou jointes sur la ceinture, il ne sait pas. En quatre jours il n'aura pas trouvé la position optimale.

La présidente se doit de commencer par une donnée importante, décisive. Au regard du contenu dense et relevé de ces quatre jours d'audience, les questions posées au jury ont été reformulées. Elles sont désormais au nombre de deux. À la question l'accusé Gilles Bourrel est-il coupable d'avoir, à Annecy, le 27 septembre 1995, volontairement exercé des violences sur la personne de Jeanne Deligny?, la réponse est oui à la majorité de huit voix au moins. À la question l'accusé Gilles Bourrel est-il coupable d'avoir, à Annecy, le 27 septembre 1995, volontairement donné la mort à Jeanne Deligny, la réponse est non à la majorité de huit voix au moins. Gilles Bourrel est donc déclaré coupable de violences volontaires ayant entraîné la mort sans intention de la donner. En conséquence, la cour le condamne à la peine de dix années de réclusion criminelle. Cette condamnation emporte maintien en détention.

Gilles calcule qu'il sortira en 2006 en omettant de soustraire ses mois de préventive. L'année lui évoque le Mondial de foot dont l'organisation vient d'être attribuée à l'Allemagne, certains matchs auront lieu à Munich. La poignée de main vigoureuse de Belinski indique que le verdict est une victoire. Gilles s'enquiert du sens de la dernière phrase de la juge. Elle signifie qu'il reste en prison, lui explique-t-on. Gilles ne voit pas l'utilité de le préciser. Il se doute bien qu'il ne passera pas ces dix ans au parc Astérix. Belinski songe que ne jamais recroiser ce client lui causerait un chagrin tout relatif.

Comme chaque soir, un gendarme aide Bernadette Luciano à orienter le fauteuil dans la travée centrale. Sur les genoux de l'époux repose le sandwich aux rillettes à peine entamé.

Les jurés peuvent maintenant quitter le prétoire. On les avait prévenus que la délibération risquait de les emmener jusqu'à la nuit, or à leur sortie l'église Saint-Furlin sonne cinq coups. Pour Patrice Bissonnet c'est presque trop tôt. D'abord catastrophé de devoir déserter son restaurant une semaine pour répondre à la convocation du tribunal, il commençait à bien l'aimer cette affaire. À la prendre très au sérieux, jusqu'à mettre aujourd'hui la chemise vert-de-gris qui selon sa mère lui va bien au teint. Aussi vrai qu'Isabelle Guibal prolonge le plaisir en allumant une seconde cigarette au bas des marches en pierre de taille, prête à en griller une troisième s'il le faut. Auront-ils l'occasion de se revoir? Dans la vraie vie hors procès, combien de chances un chef cuisinier a-t-il de croiser une esthéticienne? Tiendra-t-elle sa promesse de venir dîner dans son établissement, spécialisé dans la fondue aux fruits? Faudra-t-il qu'il se découvre un besoin urgent de manucure? Il se rassure en se disant que dans Annecy tout petit ils se croiseront fatalement. En matière de sentiments les choses arrivent quand elles arrivent. Il faut laisser faire le destin. Patrice lui donne juste un petit coup de pouce en proposant de prendre un verre.

19

À l'annonce du verdict, c'est, après l'accusé désormais coupable, vers Charles Deligny que l'attention se porte. On attend des cris de colère, on les souhaite. Au minimum une déclaration vindicative aux micros de France 3 Rhône-Alpes et des stations FM régionales tendus sur les marches du palais. Elle ne sort pas. Couvrant son chef d'une casquette anglaise, Charles dit que dix ans c'est peu, mais cent ans aussi seraient peu. Dix ou cent ou mille c'est égal. Il sonne la fin de ce cirque en ne faisant pas appel. Les reportages du soir salueront sa dignité qui les frustre.

Depuis treize mois, les proches et moins proches de Charles n'ont cessé de composter ce ticket verbal. La dignité. Charles est digne, c'est le mot consacré. Et Charles comment il va ? Il est très digne. Il est admirable de dignité. Remarquable de courage. Courage est le ticket numéro 2, et Charles comprend que cette louange dit surtout combien on lui sait gré de n'avoir pas tiré au hasard sur des piétons de centre commercial pour les châtier de son sort. De ne pas s'être pendu au soir du meurtre. D'y avoir survécu et ce serait donc ça le courage.

À rebours, le courage pourrait consister à cesser de vivre. En finir avec l'obscénité de continuer.

Charles pardonne, à leur place il dirait pareil. L'a sans doute dit par le passé. A dû dire à la veuve d'un de ses employés tué en hélicoptère qu'elle était digne et courageuse. La nécessité de parler dans des circonstances qui n'appellent aucun commentaire consolide le règne des mots creux. Et personne ne peut les soupçonner creux avant de toucher au secret découvert par celui qui vit ça de l'intérieur. Maintenant Charles est dans la confidence. Il sait que survivre à une saloperie du destin ne demande pas tant d'efforts, et aucun courage. Ça survit. Ça survit tout seul.

La Volvo le ramène toute seule à la résidence Olympe. Léna l'attend devant Nulle part ailleurs, il lui dit le verdict et qu'il faut l'accepter. Léna trouve Didier dans la chambre anciennement conjugale pour lui annoncer les dix ans. Il peine à saisir le sens de cette peine. Lui qui comprend beaucoup bloque sur le procès. Il ne voit pas bien l'idée. Il sourit.

Au journal de France 2, Jean-Paul II accueille Fidel Castro. Charles trouve ça gratiné et s'étale sur son matelas où un relâchement général des tensions articulaires le précipite dans un sommeil sans rêve ni cauchemar. Ticket numéro 3, en cas d'usure des deux premiers : droit. Se tenir droit. Et Charles comment il va ? Droit. Il va droit. Il se tient droit. Il a toujours été comme ça. Austère sans doute mais droit. On peut se reposer sur lui.

Et lui sur qui se reposera-t-il ?

Émergeant de seize heures d'inconscience, il sent tout de

suite que la verticalité va lui peser. L'envie de se soutenir fait défaut. Ou l'énergie. Le manque de l'une entraîne le manque de l'autre, dans quel sens il faudrait voir.

Les jours suivants il ne se lève que pour manger. Secondée par Didier expert en séparation du jaune d'œuf, Léna prépare de ces gâteaux pleins de crème auxquels son père ne résiste pas. Il les avale sans joie mais sans peine et c'est déjà bien. Puis se recouche. Côté oreiller, il a réglé sur France Musique le radiocassette gris métallisé offert à Jeanne dans une vie antérieure. En général il s'endort sans l'éteindre. Parfois le hasard des heures et des programmations lui offre un réveil avec Chopin.

Il réapparaît deux semaines plus tard à la pharmacie où il endure les égards contristés de ses cinq subordonnés. Il a pourtant demandé qu'on se comporte comme avant. Il savait la demande absurde, peut-être perverse. Souhaite-t-il obscurément qu'ils payent eux aussi? Qu'ils entrent à leur tour dans le cercle des innocents punis? Personne ne pourra faire qu'il n'est rien arrivé.

Une heure derrière le comptoir en bois blanc suffit à l'informer qu'il n'a plus de patience pour le travail. Les clients le fatiguent, l'énervent. Au quatrième jour il dépose dans la caisse une somme correspondant aux deux boîtes de fluoxétine puisées dans un tiroir coulissant de l'arrière-boutique. En matière d'antidépresseurs ses clients l'ont toujours trouvé de bon conseil.

À la table du dîner où son père mâche sans joie mais sans peine un risotto aux champignons, Léna en lit la notice à Didier que ça amuse.

Au fil des jours et des pilules, elle apprend qu'elles ont pour vertu d'agir sur les neurotransmetteurs et ainsi d'augmenter la concentration de sérotonine, messager chimique du système nerveux central, produite par un groupe de neurones dûment appelés sérotoninergiques. Et qu'un lien est scientifiquement établi entre la consommation d'antidépresseurs et le risque suicidaire.

Une enquête plus poussée révèle que chez 80 % des hommes l'utilisation d'un ISRS, catégorie la plus courante dont relève l'amitriptyline à laquelle son père s'est converti, crée des perturbations dans l'activité sexuelle. N'ayant rien à perdre dans ce domaine, c'est en toute sérénité qu'au deuxième mois Charles se prescrit une augmentation des doses.

En avril 97, il certifie à ses employés que la vente de la pharmacie ne sera d'aucune conséquence sur leur quotidien. Avec un propriétaire ou un autre, la population fortunée et âgée de la ville garantit à l'établissement une prospérité durable et la stabilité de ses effectifs.

Charles aurait souhaité que Léna hérite de la boutique dont il avait hérité de son père. Ce qu'elle refuse. Les molécules elle ne veut pas les vendre mais les concevoir. De ce décret irrévocable sourd une sorte de mépris. Une oreille moins insensibilisée que celle de Charles y entendrait une condamnation, juste et injuste comme la colère, de sa vie de notable si inconsistante qu'écroulée au moindre drame.

Léna lit quelque part que la dépression de type psychiatrique est une maladie de la pensée, celle de type neurologique une maladie du cerveau. Si le corps est une voiture, dans un cas c'est la conduite qui pèche, dans l'autre le moteur. Son père n'a jamais été bon conducteur.

Informée par un article suisse de la faible différence statistique entre les antidépresseurs et un placebo, elle trafique en cachette les boîtes de Laroxyl. De fait, la conversation chaque jour plus pâteuse du malade atteste que le faux médicament ne l'anesthésie pas moins. Léna éprouve qu'en science la joie d'une validation peut supplanter la tristesse du phénomène validé.

Le F5 également mis en vente trouve preneur en septembre 97, permettant l'achat d'une maison sur les hauteurs d'Annecy. Le jardin bordé d'un bois conviendra mieux à Didier dont les déambulations sans but dans la résidence ont nourri l'inquiétude surjouée du voisinage retraité et mort d'ennui dont les petits-enfants, n'écoutant que leur courage, le bombardaient régulièrement de cailloux. Présidée par monsieur Fortin, une réunion de copropriété exceptionnelle s'est efforcée de redéfinir les règles du vivre-ensemble. Passe encore que Didier s'asperge de jus divers ou étreigne les arbres, mais qu'est-ce qui nous assure que des folies plus dangereuses ne vont pas lui passer par la tête ou ce qu'il en reste? Comme Charles a répondu par une indifférence jugée hautaine, la communauté a conclu qu'aucun compromis n'était possible. Dès le lendemain une lettre rédigée par madame Fortin a été envoyée au syndic, à laquelle madame Nunez a refusé d'ajouter une trente-cinquième signature, car les autistes sont des enfants du bon Dieu. Le jour du départ de la famille Deligny, la concierge a offert à Didier un pull violet tricoté par ses soins, dans son village d'Andalousie c'est la couleur des saints. Puis fait promettre à Léna qu'elle reviendra la voir. Léna sait en promettant qu'elle ne reviendra pas. Elle ne supporte plus la vue de cette femme adorable.

Le déménagement a donné à Charles et Léna la force jusqu'ici nulle de trier les affaires de Jeanne. Léna a gardé pour elle un chemisier vert pâle, pour Didier un éventail fantaisie. Ça fabrique du vent quand il n'y a pas de vent, comprend-il. Didier déplie l'objet et du même coup le rang de grenouilles qui lui tient lieu de motif.

Léna renonce à l'idée furtive d'offrir une bague à Wilhelm en souvenir de leur bel amour foutu. Le revoir la dégoûtera.

Le reste des vêtements est légué au Centre où Lise jette son dévolu sur un gilet imprimé de roses jaunes qu'elle déchire et recoud à sa façon. L'ayant revêtu, elle prend Paul-Marie à témoin de son beau jardin. Son beau jardin n'est-il pas aussi beau que l'Éden ? C'est elle qui a fait pousser les roses.

Le changement de cadre produit l'inverse de ce que Charles, mobilisant un reliquat de vitalité, en escomptait. Conjugué à la disparition d'un voisinage qui pimentait sa vie en la pourrissant, le vide professionnel accuse l'inutilité de son existence. La pertinence de se lever apparaît chaque jour moins évidente.

Comme il refuse aussi que Didier le porte, plus rien ne le tient debout.

Il s'affaisse.

Réservant la radio à ses nuits, il écoule les heures diurnes devant la télé qu'il regarde à peine, absorbé dans ses mots fléchés. Souvent en revenant du lycée Léna s'arrête au magasin de presse de la rue Vivier pour le ravitailler en grilles. En quelques mois il passe de la force 2 à la force 6 et prend l'habitude de registrer les mots inconnus dans un cahier Clairefontaine, tous étoffés d'une définition recopiée dans l'édition 1989 du Robert. Au passage il tâche d'en inculquer quelques-uns à Didier, mais constate que sa capacité d'assimilation est sélective. Hermétique aux termes abstraits, il ne nomme que ce qu'il peut voir, entendre, toucher, goûter dans l'instant où il parle. Il ne dit pas que Jeanne est partie, ou qu'elle s'est envolée. Il dit : la robe est vide. Et vide n'est pas synonyme de rien. Vide est l'espace où se glisser pour passer la robe. Si sa joie parlait, il dirait que vide est une grâce.

Plus Charles compose de mots dans les grilles, moins il en prononce. Bientôt il ne communique qu'en griffonnant des feuilles arrachées aux carnets dont Léna complète régulièrement son achat de médicaments et de Télé 7 jeux. Parfois le message dit qu'il ne dînera pas ce soir, parfois qu'il a la plus jolie fille du monde.

Un jour de mai 98, Léna s'étonne du nombre anormalement élevé de phrases sur la feuille scotchée à un dossier bleu qu'elle trouve au retour d'un week-end de randonnée. On dirait presque une lettre. Elle ne commence pas par Ma chère fille mais par J'abandonne.

J'abandonne.

Point à la ligne.

Un homme n'a pas de meilleure option que de s'abandonner à sa faiblesse. D'y consentir, et alors elle est peut-être une chance. Nous le saurons bientôt.

Si encore mon désastre n'engageait que moi. Mais il vous engage aussi, mes deux enfants. Je suis un poids pour vous. C'est un destin peu désirable pour un père.

J'ai pris des mesures pour vous alléger. J'ai vendu la maison de ta grand-mère et mes parts dans la pharmacie de Lausanne. La moitié de la somme rassemblée est sur un compte à ton nom (papiers dans le dossier bleu). L'autre moitié payera les mensualités de la maison de retraite où tu m'accompagneras en taxi mercredi prochain (adresse au verso, papiers dans le dossier). Le personnel est prévenu, les deux premiers mois réglés. L'argent est bien utile aux vieillards. C'est à ça d'abord que pensent les gens qui en amassent. À s'assurer des vieux jours moins sinistres. À retarder le naufrage.

Tu feras ce que bon te semble avec la Volvo.

Je ne garde la maison du Pradet que parce que tu y tiens. Quand tu n'y tiendras plus – cela arrivera, tout passe, tout s'éteint – nous la vendrons.

Ici je deviendrais une plante et tu finirais par me détester, si ce n'est déjà le cas. Par souhaiter que je disparaisse de ta vue. Tu as dix-huit ans et un trimestre. Il ne tient qu'à mon retrait que Didier et toi puissiez vivre, et pourquoi pas heureux.

Surtout ne viens me voir que si tu le souhaites. Épargne-moi l'humiliante évidence que tu viens alors que cela te pèse. Je t'aime ma fille et c'est pourquoi je te débarrasse de moi.

20

À Gilles la prison de Lyon-Perrache apparaît d'emblée plus hostile que la maison d'arrêt de Bonneville. C'est que sauf transfert il est voué à y rester neuf ans, se raisonne-t-il. Or c'est surtout qu'ici ses exploits sont connus. Dès le quartier des arrivants, il perçoit des murmures dans son dos, surprend des regards de biais, traque le sous-entendu dans une question de routine, interprète un sourire comme une moquerie, anticipe les jeux de mots sur son nom. Que savent-ils au juste? Jusqu'à quel degré de précision s'affine la rumeur?

Le troisième jour, son voisin de réfectoire apporte un début de réponse en se portant candidat pour baiser sa femme. Puisque Bourrel en est incapable, lui Slobodan, très gâté par la nature à ce niveau-là, se dévoue pour dépanner. Il ne le fait pas pour le plaisir, tringler une moche franchement ça ne l'enchante pas. Que Bourrel le prenne comme un service. En échange il n'aura qu'à lui prêter son mascara.

Gilles raide sur sa chaise pense à ces scènes éculées où le héros provoqué par un méchant écrase sa gueule patibulaire dans l'assiette de ragoût, histoire de faire comprendre à la communauté carcérale qu'elle serait bien inspirée de ne pas l'emmerder. La scène ne sera pas jouée aujourd'hui. Par sagesse par peur il laisse dire.

Des brimades du même acabit jalonnent ses premières semaines à l'ombre. On lui propose une virée au bordel pour lui montrer sur pièce l'emplacement du vagin, on s'accroche une nouille molle à la braguette sur son passage, demande des nouvelles de l'île grecque où il est né, siffle admiratif son beau petit cul. Très vite Gilles se prive de la promenade du matin, de celle du soir, commence à cantiner pour se nourrir sans sortir de cellule, perd dix kilos en quatre mois, s'abreuve de télé, réclame en vain un câblage qui donne accès à Eurosport, apprend à s'endormir avec les couinements des rats, perd encore deux kilos, vainc la peur en se désensibilisant.

S'interdit de penser.

Pleure moins.

Seul l'espoir a des larmes, la résignation est sèche. Gilles ne pleure plus et un soir il se taille sans conviction une veine de l'avant-bras avec un bout d'assiette. Le maton qui le trouve évanoui l'engueule en le garrottant. Pour le prochain coup il lui conseille la gorge, c'est imparable.

Gilles a certes moins cherché l'imparable qu'à marquer son désaccord devant l'impossibilité qui lui est faite de ne pas vivre.

Calcul ou non de l'administration pénitentiaire, il hérite une semaine plus tard d'un compagnon de cellule. Missionné ou non pour contrer les velléités suicidaires de Gilles, ce Hamza Galhi pose comme préalable à leur entente qu'il jure sur la tête de sa mère que ce n'est pas vrai qu'il est pédé. Hamza peut s'entendre avec n'importe qui mais il ne veut pas gâcher les cinq mille nuits qui lui restent ici à garder un œil ouvert sur son compagnon.

Jurer qu'il n'est pas homosexuel donne pour la première fois à Gilles l'impression qu'il l'est. Toutefois jurer sur la tête de sa mère morte aura peu de valeur. Il le fait sur la tête de Lucie. Hamza se le tient pour dit. Son opinion est qu'un homme digne de ce nom n'a qu'une parole. Un homme qui trahit sa parole est un chien à abattre.

Puisque Hamza connaît l'histoire de Gilles, il lui doit la sienne. Gilles dit qu'il s'en passera, Hamza maintient que c'est important pour qu'entre eux ce soit kif-kif et donnant-donnant.

En février 95, son cadet Azzedine a poignardé à la cuisse un type de Sarcelles dans la confusion d'une embrouille au fond d'un bar à chicha de Garges. Les flics arrivés à dix, Hamza s'est dénoncé à sa place. Un aîné qui ne protège pas son cadet est un chien mangé en sauce par un Chinois. Il pensait qu'il prendrait du sursis mais le type touché à l'artère fémorale a cané dans la nuit. À cause de ce fils de pute il a pris du ferme.

À chaque fin de récit Hamza crache dans un mouchoir qu'il nettoie matin et soir.

Au fil des jours l'histoire se précise.

La vérité c'est que le mort ce fils de pute connaissait quelqu'un de très haut placé. Quelqu'un qui travaille à TF1, un complice d'Hamza l'a vu plusieurs fois monter au dernier étage de la tour aux vitres miroirs. Le monsieur très haut placé a demandé à ses complices du parquet de condamner lourdement Hamza Galhi. Pour venger son ami assassiné, il dit, mais la vérité c'est que le monsieur haut placé veut mettre Hamza Galhi hors d'état de nuire. Car Hamza Galhi connaît aussi des gens importants. Il a dîné trois fois avec David Ginola. Il a truqué des boîtes aux lettres pour Jean Tiberi. Mais son frère à la vie à la mort c'est Guillaume Durand. Un jour que sa tête apparaît dans la petite télé, Hamza salue l'animateur comme s'il le voyait et raconte une anecdote où ils couraient ensemble au bois de Boulogne et pour rire ils ont frappé un travelo. Les gens qui ne ne savent pas rigoler sont des porcs déguisés en chiens galeux.

Gilles croit pourtant se souvenir que la gale c'est juste les chats.

Le monsieur haut placé sait qu'Hamza Galhi a le bras long et de quoi contre-attaquer si on lui fait la misère. Ce sera réseau contre réseau. Le réseau d'Hamza Galhi est très puissant, mais attention le réseau d'en face est très puissant aussi. Ils ont mis les attentats de 95 sur le dos de Khaled Kelkal. Hamza connaît bien Khaled, son cousin est passé juste après lui en cellule d'isolement à Saint-Paul de Lyon. Khaled ils se sont arrangés pour l'exécuter sur place parce qu'au procès il aurait balancé des gens de là-haut. Leur réseau n'est pas un réseau parmi d'autres. C'est le réseau avec un grand R. Le réseau du Sheitan. Ils ont commandé l'assassinat de son oncle qui était un imam respecté en Algérie. Ils ont dit que c'était le GIA mais la vérité vraie, sur la tête de Fatima femme du prophète, c'est que les chiens du gouvernement algérien ont voulu sa mort parce que le pouvoir il est du côté des Américains qui organisent le monde sous les ordres des sionistes animés par le diable qui veut détruire l'humanité et une seule force peut détruire les destructeurs et cette force elle n'a qu'un nom et quiconque prétend porter ce nom l'usurpe car seul Celui qui a tout créé s'appelle Allah.

À l'aube, Hamza s'agenouille face au soleil levant que la cellule orientée nord ne voit jamais, et délivre une prière à voix très basse pour ne pas déranger. Il propose de l'apprendre à Gilles qui décline, ça lui dit trop rien d'articuler des phrases qu'il ne comprend pas. Hamza lui traduit mot pour mot, ça parle de Dieu qui donne l'éternité aux morts. Gilles trouve l'idée intéressante mais pas pour lui. L'éternité il n'en voudrait pas, il est déjà bien fatigué, il n'irait pas au bout. Éventuellement il veut bien la demander pour Jeanne mais n'est-ce pas trop tard?

Rien n'est trop tard pour Celui qui peut tout, dit Hamza.

Gilles craint que pour prier il lui manque la foi. Hamza répond que justement la foi vient en priant. Lui c'était à la naissance de sa première fille, la chair de sa chair, elle était donnée pour morte à cause d'une malformation du cœur, et il a prié, prié, prié à s'en écorcher les genoux, à s'en épuiser les mâchoires, et Dieu a réamorcé la pompe vitale de la petite. Dieu a voulu qu'elle ne soit pas née pour mourir mais pour vivre. Born to be alive. Son cousin Mounir trouve ce titre stupide car forcément si on naît c'est pour vivre mais lui Hamza il sait grâce à sa fille adorée que naître ne garantit pas de vivre, il faut que Dieu te l'accorde, et si Dieu feint d'abord de ne pas l'accorder c'est pour te faire éprouver son prix. C'est pourquoi le moins qu'on puisse offrir à un enfant est un père exemplaire. À ses trois fils et ses deux filles Hamza a transmis l'honnêteté et le goût du combat. Quand le Réseau sheitanisé tentera de leur nuire pour toucher indirectement Hamza Galhi, ils rendront les coups au centuple. Villiers-le-Bel c'est trop loin pour qu'ils viennent le voir, c'est pour ça qu'il n'a jamais de visite, mais là où ils sont ils marchent droit. Et leur mère aussi marche droit. Même à cinq cents kilomètres de distance, il le sait. Il est comme un œil dans son âme, elle me l'a dit, et tant pis si elle doit l'attendre encore quinze ans, même trente ans elle l'attendra.

Imaginant Lucie l'attendre trente ans, Gilles se remémore une planche de BD où un type attend sa fiancée et de case en case des cheveux blancs lui poussent puis des rides qui deviennent des sillons des rigoles des crevasses et dans la dernière il est un squelette avec dans les mains son bouquet de fleurs intact.

Lucie prend tous les parloirs possibles, posant des congés qu'elle compense par des remplacements le week-end. À l'agence ils ne sont pas très arrangeants, sans doute en sanction du préjudice causé à la boîte par toute cette histoire, mais Lucie jure qu'elle tiendra le rythme. Elle le jure sur nulle autre tête que la sienne. Son amour vaut garantie.

Les premiers mois deux copains de l'école de ski sont venus voir Gilles, cachant leur malaise derrière la franche camaraderie savoyarde. Finalement indécis sur le bien-fondé de leur démarche. Pas complètement sûrs que le plexiglas les protège de la perversité du visité. Ils n'ont pas franchement protesté quand Gilles leur a solennellement demandé de ne plus venir.

Quelques mois plus tard c'est à Lucie qu'il le demande. Il n'a rien à lui reprocher, et c'est bien ce qui l'accable. Il a eu son content d'humiliations, parmi lesquelles le pardon de sa compagne n'est pas la moins douloureuse. Il lui demande qu'elle le libère de sa bonté. Qu'elle l'oublie dans les bras d'un homme digne d'elle. Qu'elle efface jusqu'au souvenir du pauvre type qu'une espièglerie du destin a mis sur sa route.

Lucie refuse, il insiste, il sait ce qui est bien pour elle, et pour lui. Elle se soumet. Elle promet d'essayer d'en aimer un autre. Si ça peut l'aider.

Gilles soupire. Qu'elle s'aide elle-même d'abord. Lui il faut le rayer de la carte, rien de moins. Ni parloir ni lettres ni rien. L'oublier comme une maladie.

Son père est le dernier à le visiter. Il le fait à un rythme d'une régularité sans faille, comme un virement mensuel sur le compte d'un pupille.

Il s'acquitte.

Une fois posé sur la chaise bancale, il commence par les questions d'usage. Et puisque la santé va bien, que Gilles mange bien, que le linge propre tombe bien, il ne leur reste plus qu'à se taire jusqu'à la fin de la demi-heure. Être aussi endurants que le silence de tombe que rien ne rompra.

Fort d'une patience tout ouvrière, bras croisés et souffle fort, Maurice endure beaucoup mieux que son fils.

Ce n'est pas de l'incommunicabilité. Ce n'est pas un silence chargé de non-dits. C'est juste qu'ils n'ont rien à se dire. Il aura fallu l'impossible situation de parloir pour que Gilles réalise qu'un père et son fils n'ont pas vocation à se parler ni même à se comprendre.

À Maurice aussi Gilles finit par dire : ne viens plus. Le dire allume une flamme de joie, famélique et vite soufflée, dans son tunnel.

21

Un matin de décembre 99, le gardien du cimetière de Pringy découvre une morte étendue sur son cercueil à ciel ouvert. Identifié par le sperme prélevé dans le vagin, le concepteur de cette mise en scène, travailleur social, explique qu'un ange lui a signifié que l'offrande d'un cadavre de femme déterrée retarderait l'apocalypse. Il ne précise pas si le viol était compris dans l'ordre de mission.

Engagée dans une série d'enquêtes liées au millenium, la brigade criminelle de Grenoble est saisie de l'affaire, et c'est donc en simple observatrice que le capitaine Brun la suit de près. Non que le protocole sexuel l'intrigue particulièrement ; jusqu'à la fin des temps des hommes pénétreront des femmes vivantes ou mortes à leur corps défendant, avec probable intensification de l'activité durant les vingt-quatre dernières heures du monde. C'est plutôt que l'envoûtement supposé du coupable la renvoie à un dossier qui bien que refermé depuis quatre ans fait régulièrement voleter sous son nez une escouade de questions.

Cette fois elle s'entend penser qu'elle aimerait en avoir le cœur net. L'expression est impropre. S'il se pouvait qu'un cœur soit net, sa profession serait supprimée. Un bon flic pique sur le pas net comme une mouette sur une sardine.

À ce stade de l'enquête aucune hypothèse n'est à exclure.

Le 12 janvier 2000 elle compose le numéro de fixe indiqué en tête du site Internet de Mezut Besiktas. Elle se présente comme Amélie Brun, quarante-huit ans. Une camionnette Darty passant à ce moment sous sa fenêtre lui souffle d'ajouter qu'elle est directrice marketing dans l'électroménager. Rendez-vous est pris le samedi en huit.

Est-ce pour une consultation ? demande-t-il.

Pour quoi d'autre serait-ce ? répond-elle.

Le jour venu, son ex-mari passe prendre leurs deux fils en milieu de matinée. Il a prévu une randonnée-escalade, avec redescente en ski, et demain direction Saint-Gervais pour le match-phare du championnat de hockey. C'est ce qu'il appelle faire des trucs. Depuis le divorce, Hugues se sent obligé de faire des trucs avec les gosses. Et entre deux trucs, d'échanger. D'une génération à la suivante l'échange est primordial, récite-t-il. En douze ans de maternité, Amélie a pourtant cru comprendre qu'un enfant maintient toujours ses parents hors du périmètre qui lui importe, voire qu'on repère ce qui lui importe au fait qu'il le leur cache. Elle les laisse entre hommes dans l'atelier communication.

En partant elle trouve dans sa boîte une relance pour régler sa cotisation annuelle au RPR. Est-ce bien la peine ? Elle ne va plus aux réunions depuis six ans, n'a plus collé d'affiches depuis la naissance de son dernier. De toute façon pour les expéditions collage elle a toujours traîné les pieds.

Devoir de réserve. Neutralité de la fonction publique. Les flics servent le pays et non un parti. Son père gaulliste le lui rappelait souvent avant son Alzheimer. Le contact de sa Golf diffuse instantanément le refrain des Démons de minuit. Amélie se réfugie sur la station mitoyenne. Saloperie d'années 80. Début de la fin. Vingt-cinq ans en 76, et ensuite le déclin. Elle ne le pense pas vraiment. Personne n'est assez fort pour penser ça vraiment. Elle émet l'idée pour l'exorciser. Tout n'est pas foutu après vingt-cinq ans. Il y a les satisfactions de boulot. Les bons restaurants. Le havre de tendresse familiale. Les enfants qu'on voit éclore et croquer la vie et consacrer chaque année plus d'énergie à vous casser les burnes. Hier l'aîné lui a dit qu'il la préférerait délinquante que flic. Elle le rejoint parfaitement sur ce point, surtout niveau revenus. C'est fou comme Chirac a perdu de son charme depuis la dissolution. Sceptre fondu, phallus mou. Elle profitera quand même du changement de nom pour reprendre sa carte. Après consultation des militants il paraît que MFR tient la corde. Elle tente un retour vers Nostalgie. C'est bon, la zone sonore est sécurisée, les chœurs d'Abba ont repris le micro. Mouvement pour une France Républicaine ? Amélie attend le refrain pour chanter. Dans les soirées karaoké c'est un des titres les plus choisis dans le catalogue. Mouvement des Français de la République ? Depuis sa Bourgogne natale où il a été affecté, Calot dirait que 97 % des noms de partis politiques sont interchangeables. En général les filles s'y mettent à trois pour beugler donnez-moi donnez-moi donnez-moi un homme après minuit, et parmi les trois il y a elle, toujours partante pour jouer la chaudasse qu'elle aimerait être.

Un homme avant minuit lui irait aussi.

À Bourg-Saint-Maurice elle trouve sans mal l'entrée G comme groseille de l'immeuble de villégiature, puis l'ascenseur sans glace qui la mène au cinquième où la porte de l'unique appartement est ouverte comme sur un piège.

Un jeune type coiffé d'un panama l'accueille dans un salon dont un mur entier est tapissé de pochettes de 33 tours. Sur le pan opposé, le poster d'un rappeur noir bagué d'or inspire à la visiteuse une immédiate hostilité. Ce n'est son genre ni physique ni musical. Une chanson sans mélodie quel intérêt?

Besiktas pose sur une table basse un plateau où les deux tasses resteront vides. Amélie se souvient que Lucie Guérini s'était étonnée qu'il ne soit pas africain. En ce qui la concerne elle le voyait juste plus vieux. Lui supposait une voix chevrotante pour délivrer des énigmes sous forme d'aphorismes. S'imaginait en somme visiter le père Fouras droit sorti de Fort Boyard dont son aîné raffole.

Il n'a pas non plus une tête de Grec. Plutôt de Turc, suggérerait son nom s'il était authentique. Ou de Brésilien, suggérerait une carte du pays punaisée au plafond si elle n'avait pour vocation exclusive le cachet exotique.

Il l'appelle capitaine. Il ignorait qu'il y eût des capitaines dans l'organigramme de Darty. D'abord scrupuleusement impassible, Amélie choisit de sourire. Il a raison, c'est mieux comme ça. Ni l'un ni l'autre n'ont de temps à perdre dans un jeu de dupes. On est ici en tant qu'amis inconditionnels du vrai.

Surtout vous, observe-t-elle.

Surtout moi, entérine-t-il.

Puisqu'on est parti sur ces bases saines, elle demande des nouvelles de sa mère en Allemagne. La malheureuse a-t-elle réchappé à la grave maladie qui a appelé son fils à Düsseldorf, en octobre 96, juste avant le procès Bourrel quelle déveine. Mezut se fabrique une mine triste à laquelle il sait que le capitaine ne croit pas. Il est tellement vrai que sa mère était malade qu'elle en est morte. Il l'a perdue très jeune. Si jeune qu'il ne lui en reste rien, sauf le vague souvenir de ses séances de magnétiseuse dans les faubourgs de Lima. Pareille amnésie lui vaudrait une baffe de son père s'il en avait un.

Mais parlons de la capitaine. Quel vent incréé l'amène ? Aurait-elle besoin de ses vues pour une enquête en panne ?

Amélie le rassure, elle ne le soupçonne pas d'avoir téléguidé le nécrophile de Pringy. Elle voudrait simplement prendre deux minutes pour revenir sur le blanc.

Le blanc ? feint-il d'ignorer.

La malédiction du blanc, feint-elle de l'éclairer. Glissée par vous dans l'oreille de Gilles Bourrel, et qui l'a rendu dingue.

Histoire étrange, quand on y songe. Histoire pas du tout étrange quand on n'y songe pas, mais voilà, elle y songe. Et ça l'agace.

Mezut soupire en battant des cartes de tarot acquises la veille sur le conseil d'un député. On l'en voit désolé mais il ignore comment le blanc lui est venu. Est-ce qu'on sait comment vient une pensée ?

Amélie veut bien le reconnaître. Mais le règne de l'occulte n'est pas totalitaire. Il arrive, étrangement, que des phénomènes s'expliquent. On croit qu'une pensée vient d'on ne sait où, et en fait elle vient d'on sait où. Par exemple d'un autre cerveau, et banalement transmise par des mots. Alors qu'elle relisait les minutes du procès Bourrel où Freddy Froment témoigne que sa fille a le diable au cul, l'idée malveillante lui est venue d'on ne sait où que les vertigineuses divinations de Mezut quant à « Jean-Claude » lui avaient été indiquées par la diablesse en personne, ainsi que la préconisation de lui offrir une chambre à Chambéry. Or Amélie s'en veut tellement de souiller d'une telle suspicion le noble commerce de monsieur Besiktas qu'elle a fait vingt bornes pour entendre son démenti ferme et lui conserver une estime sans tache.

Mezut accuse réception du faux compliment en portant la main à son cœur. Et salue la perspicacité de la capitaine. Non sans préciser au préalable que la part bidon ne représente qu'un tiers de son activité, il confirme que la jeune Karine Froment, au demeurant excellente suceuse, l'a payé en amont et en nature pour qu'il oriente son père vers la décision de lui payer un loyer le plus loin possible de l'appartement familial qu'elle ne supportait plus. Et si possible un scooter, mais ça il n'a pas pu le placer.

— Et le blanc, c'était la part bidon ?

— C'était la part semi-bidon.

— Quelqu'un vous a semi-payé pour orienter Bourrel vers Jeanne Deligny?

Pour le coup le Grec d'origine péruvienne s'étonne que le brillant officier s'engage sur une piste grossière, oubliant une subtilité bien connue des astrologues et autres psychologues. Par définition les gens qui viennent les consulter sont fébriles, ou rendus fébriles parce qu'ils viennent les voir. Donc ils plongent la tête la première dans n'importe quel baquet. Le moindre mot lâché, ils le lieront à un élément de leur existence. Surtout s'il est polysémique. Vous dites poule, le client songera à une ferme où son oncle l'a tripoté, ou à sa victoire dans un tournoi de hand universitaire. Ou à une femme flic. On dit poule pour les femmes flics?

— Au fond le semi-bidon recoupe le bidon.

— Ou le pas bidon du tout.

Il sort une pipe, la bourre de tabac, ne l'allumera pas.

— Pourquoi j'ai dit blanc? Pourquoi il m'est venu blanc et pas un autre mot?

— Le hasard.

— Voilà. Le hasard. La nécessité. Le hasard c'est la nécessité. Il n'y a pas moins hasardeux que le hasard. La preuve.

— Quelle preuve?

— Le blanc. Le blanc a vu juste.

— Quarante mille mots pouvaient renvoyer à Jeanne Deligny.

— Blanc était pile dans le mille. Mon cerveau me l'a dit parce qu'il savait.

— Il savait parce qu'il avait épluché la vie de Bourrel.

— Le cerveau n'est pas enquêteur à la PJ. Le cerveau sait autrement. Il sait des choses que je ne sais pas. Parfois il les fait savoir à ma bouche qui les articule. Alors mes mots savent quelque chose que je ne sais pas. Je parle est un énoncé mensonger. Ce n'est pas moi qui parle. On dit qu'un individu n'utilise que 10 % de son cerveau, mais le cerveau n'attend pas un signal de son prétendu propriétaire pour s'utiliser.

Sous le rappeur noir couronné, des lettres gothiques forment Rest in peace.

— On admet la télépathie, on peut aussi admettre ça.

Le rap a explosé pendant quelle décennie? On vous le donne en mille.

— Pourquoi êtes-vous retournée chez la concierge des Deligny, capitaine?

— Vous êtes bien renseigné.

— Mon cerveau est bien renseigné. Il sait qu'à ce moment de l'enquête il n'y avait aucune raison d'entendre à nouveau madame Nunes.

— Nunez. J'y suis retournée sans raison. Pour donner l'impression à mon équipe qu'on ne piétinait pas comme des bites.

— Dans l'espace quantique, sans raison a une raison. Vous y êtes retournée parce que votre cerveau a vu le sac.

Amélie se lève caresser l'oie assoupie sur le balcon. Elle en profite pour contempler la vue, autorisant qu'on s'arrête enfin sur le cadre montagneux. Il est tout en reliefs. Sans se retourner, elle objecte que le sac Bricorama n'a été vu que par ses yeux, quand la gardienne l'a tiré du placard.

— Votre cerveau l'a vu avant. L'a vu de loin.

— L'oie c'est pour un sacrifice ?

— Oui.

— À l'ancienne, quoi.

— Ça en impose aux gogos. C'est les toques des boulangeries Paul qui m'ont donné l'idée.

Mezut vient s'accouder à son tour, refuse une Camel en pointant sa pipe éteinte.

— À l'extrême rigueur j'ai eu une intuition.

— Je l'attendais celle-là. L'intuition. Vous me décevez.

— Ou du flair.

— Oui oui voilà le flair l'intuition blabla. Mots sortis du chapeau pour nommer l'innommable, humaniser l'inhumain. Sauver le prestige de Sherlock. Minorer la puissance autonome du cerveau. J'ai bien dit autonome, hein. C'est-à-dire qu'il ne s'agirait pas d'aller crier sur les toits que vous avez des neurones exceptionnels, Amélie. Tout juste pouvez-vous les remercier d'avoir élu domicile dans votre boîte crânienne périssable. Vous ne possédez pas un cerveau, c'est lui qui vous possède. Qui vous envoûte, oups.

Bien malin qui pourrait dire d'où vient le vent.

— Au fond on se demande pourquoi les cerveaux continuent à se trimballer ces boulets d'humains. Et ce qu'ils attendent pour nous bazarder. D'après mes renseignements, ça ne va plus tarder.

22

Après une paire d'années à la fac de Chambéry, Léna suit une licence à l'université Joseph-Fourier, dite Grenoble 1. Bien que son oncle radiologue offre de l'héberger les trois jours sur lesquels s'étalent ses cours, elle préfère le plus souvent rentrer dormir à Annecy. Catholique d'origine lyonnaise, sa tante Béatrice la choie comme une mère et c'est une bonne raison de l'éviter. Être traitée comme une faible finira par l'affaiblir. Didier le sait, qui ne la ménage pas. Si elle pleure moins elle est plus jolie.

Autant éviter les dîners où sa tante embellit les nouvelles de Charles qu'elle visite chaque dimanche à la maison de repos Harmonia. Léna est donc censée ignorer que son père dégénère ?

À la fac elle ne s'est liée avec personne. Les pauses la trouvent plongée dans ses notes fleuries d'équations qui lui parlent davantage que les mots, impropres selon elle à nommer les phénomènes ayant cours dans le biotope de ceux qui les prononcent. Si elle se mêlait aux discussions courantes, elle ne cesserait d'exiger qu'on en clarifie

les termes ou à défaut qu'on se taise, justifiant définitivement l'antipathie qu'elle inspire à tous.

Un soir de janvier où la fatigue l'a décidée à rester dormir
à Grenoble, sa cousine de passage dans sa maison d'enfance
propose de l'emmener à une fête qu'elle appelle une teuf.
La réponse réflexe de Léna est négative, elle ne connaîtra
personne, elle va s'ennuyer. Puis le thème vintage de la
soirée conjugué à la perspective de noyer son début de
migraine dans l'alcool la font enfiler une robe, noircir ses
cils, marcher jusqu'à un appartement à parquet où les corps
gigotant sur place verre à la main ne tarderont plus à danser.

Sur le chemin, sa cousine fraîchement diplômée de HEC
a indiqué que la moitié des présents barbotent dans des
culs-de-sac genre deug de lettres ou d'anthropologie. À vue
d'œil la demi-douzaine de mâles que Léna repère dans la
cuisine appartient à cette espèce. Ils ne danseront pas tant
que la discussion menée en décapsulant des Kanterbräu
n'aura pas abouti. C'est-à-dire qu'ils ne danseront pas.
Décryptant leurs codes lexicaux et leurs références impli-
cites, Léna saisit que l'enjeu est le vote PS dès le premier
tour des présidentielles dans dix-huit mois. Mais est-ce
qu'on a envie de récompenser Jospin, chef du gouvernement le plus privatiseur de la Cinquième République?
D'accord mais n'oublie pas les 35 heures. Les 35 heures
ont offert au patronat un permis de flexibiliser. Et la CMU
c'est un cadeau au patronat? La social-démocratie ne sera
jamais de gauche, elle est programmée pour ne pas l'être.
Programmée par qui? Par l'Histoire. La politique n'est pas
une réalisation hégélienne. Si, un peu. C'est du fatalisme.

Le fatalisme est pas forcément de droite. Le fatalisme désespère la classe ouvrière. Mais l'optimisme l'aigrit quand il est déçu. Si les grands soirs promis n'ont pas lieu, elle se retourne contre les prometteurs. Spinoza est fataliste, par exemple. Qui a dit que Spinoza était de gauche? Tout le monde le dit. Tu peux pas plaquer sur lui des catégories advenues après. On plaque ce qu'on veut sur ce qu'on veut. C'est aussi débile que de dire que la vie est de gauche. Voilà, la vie est de gauche, animaux compris. Et végétaux? Et végétaux. Pardon je savais pas que c'était une soirée clown. La vie n'est pas de gauche mais la matière l'est. La matière est de gauche? Oui, d'extrême gauche même. T'as raison, hier on a croisé la matière, elle avait un bandana rouge.

L'avant-dernier qui a parlé sirote un liquide brun. Léna spécule sur un whisky-coca. Elle approche et demande où se trouve la bouteille, je réponds que c'est un secret. Comme elle n'a pas l'air de rigoler avec son envie d'alcool, je la mets dans la confidence des initiés : le whisky vient de la réserve.

— La réserve?

— Par ici.

Remontant le couloir, j'explique d'un ton de conspirateur qu'on s'est incrustés à trois dans cette fête où on ne connaît que la sœur de la copine du mec qui a vu l'ours. Par sécurité on a planqué dans une chambre notre bouteille de Jack Dan' en promo Carrefour pour éviter qu'elle soit vidée en cinq minutes. Normalement c'est réservé à nous seuls. Est-ce qu'elle se rend compte qu'en lui montrant la planque sous le lit où les manteaux s'empilent, je prends le risque d'être exclu de la secte?

— Je vais m'évanouir de gratitude.

Sans compter qu'en général je ne parle pas aux blondes. Ça fait deux faveurs exceptionnelles en une seule soirée.

— Tu préfères les brunes?

— Spécifiquement les Kurdes.

Elle boit au goulot puis remplit un gobelet spécial réserve qu'elle ramènera avec elle. Je renonce à l'embrasser dès maintenant. Au salon un cercle de fans s'est formé autour d'un rouquin qui singe Patrick Hernandez, un parapluie en guise de canne. J'observe que Born to be alive est une tautologie. C'est fou comme le disco répète indéfiniment qu'il y a la vie et qu'elle dure. Staying alive. Qu'il y a la vie, qu'elle dure, qu'on ne cesse de survivre, et que c'est un miracle. Thank god I'm alive. Elle avale une rasade de whisky et remarque que toute la pop music produit ce genre de paroles. Oui mais le disco c'est systématique. La question corollaire étant: qu'est-ce qui lie structurellement ce courant à la glorification de l'immanence?

Elle est impatiente de le savoir.

Par chance j'ai la réponse: c'est son nom. Le seul nom de cette musique alerte qu'elle n'est rien de plus que ce qu'elle est: de la musique. Et ne fait pas mystère de son programme: en discothèque nous passerons des disques de disco. Pardon mais si ça c'est pas de l'immanence, j'y connais rien en immanence. Musique pour la danse, musique-danse. Je ne danse pas sur la musique. Je danse la musique. La musique danse par moi.

Elle demande s'il m'arrive de me taire.

Je réponds que sur ce terreau poussent forcément des paroles comme I feel love. Pas I love you, hein. Pas: je t'aime. Mais: je ressens de l'amour. Je ressens tout seul de l'amour. I love to love you baby. Que Tina Charles épurera en I love to love. Elle objecte que certains n'aiment pas être amoureux. Je la fais répéter car Patrick Hernandez qui aura mal au crâne demain vient de pousser le volume au maximum. Elle crie dans mon oreille qu'il lui est arrivé d'aimer sans aimer aimer. Je crie dans la sienne que c'est sans doute qu'elle n'aimait pas vraiment. Elle assure que si. Je demande s'il était beau, elle dit qu'il était suisse. Doux, attentif et suisse. Une grande mince la tire dans le carré de danse en piaillant daddy daddy cool. Elle s'agite en me regardant. Je lève l'index sur le refrain pour attirer l'attention sur quoi? She's crazy like a fool. Elle est folle comme une folle. C'est fou. Une chorégraphie collective la déporte dans un angle. J'en profite pour prendre une Kanter à la cuisine où Thierry s'emploie à calmer l'enthousiasme d'un néo-bab pour qui Mulholland Drive est le film de l'année. Il a de la chance que je passe par là pour lui rappeler que Roberto Succo est aussi sorti en 2000. Il s'étonne qu'on compare cette merde avec du Lynch. On va le lui faire regretter. On y mettra le temps qu'il faudra. Assis sur l'évier je dégaine des arguments en gardant un œil sur ma blonde. À un moment je ne la vois plus. Par le plus grand des hasards je la croise peu après dans le couloir où elle récupère son blouson en faux cuir. Je commençais justement à me dire que j'avais envie de partir.

Sur le trottoir elle va vers là. Par le plus grand des hasards moi aussi. Elle frissonne dans le vent de décembre et moi étant un garçon je ne frissonne pas. Elle s'appelle Léna et c'est incroyable parce que c'est le prénom de mon amoureuse de CM1.

— Sans blague?

Amoureuse au sens où je l'aimais, pas au sens où elle m'aimait. Elle tournait plutôt autour de mon copain Ivan Gautho. Vu que tous deux étaient blonds, et qu'elle avait confié une fois qu'elle préférait Hutch à Starsky, j'en déduisais que les blonds s'aiment entre eux, et qu'elle ne daignerait jamais me parler. D'où mon hostilité tenace envers cette race. Appelons ça une blessure. Une plaie. Un œdème. Une gastro. Léna 2001 ne croit pas à ce récit. Elle demande ce que je fais dans la vie. Je noie le poisson. M'accoler à une raison sociale dissiperait l'aura bohème que je tâche de conserver malgré mon statut de fonctionnaire de l'Éducation nationale premier échelon. Et puis ça veut dire quoi «ce que je fais»? Je rentre d'une soirée, voilà ce que je fais. Qu'est-ce que tu fais toi?

— Je marche à côté d'une grande gueule.

— Et sinon?

— De la biochimie. Avec option biologie cellulaire.

Elle détaille les UV de sa licence pour que j'y voie encore moins clair. Physiologie animale; écophysiologie des vertébrés; chimie des protéines. L'an prochain en maîtrise ce sera légèrement différent: physiologie des systèmes de régulation et adaptation (systèmes endocrinien et nerveux); neurobiologie; régulations métaboliques et endocriniennes;

pharmacologie; immunologie; biophysique. J'applaudis la netteté de l'énumération malgré ses deux grammes dans le sang. Justement elle cherche un coin pour gerber tranquille. Je signale que mon studio est juste là derrière l'église. D'expérience je peux certifier qu'il est assez pratique pour vomir. Mon soulagement en l'entendant refuser m'informe que je ne souhaitais pas qu'elle me suive. Sans doute mon passif en matière de pénétration amollie par l'alcool. Elle note son 06 sur ma main et demande le mien. Je préviens que le mien est un fixe. Moi vivant on ne me verra pas avec un portable. Léna n'est ni pour ni contre, mais du point de vue de son secteur d'activités elle se réjouit. Bientôt l'air sera saturé d'ondes, la chimie sera partout, ça lui assure un bel avenir professionnel. Je la trouve bien inconséquente de se réjouir de la destruction de l'humanité.

— La chimie ne détruit pas toujours l'humanité. La castration chimique ça sauve des vies.

— Et ça détruit celle du castré.

— Ou ça l'apaise.

La bise d'au revoir se prolonge en baiser. Les yeux fermés la tête tourne.

Ce sera tout pour ce soir.

Hors de question de l'appeler pendant la semaine qui suit. J'ai vingt-cinq ans, mon but n'est pas d'aimer mais d'éprouver que je suis aimable. Le message que je lui laisse un samedi s'affiche comme ayant pour unique objectif de la libérer, premièrement, de la torture de l'attente, secondement, de ses épuisantes conjectures quant à l'excès d'allégeance qu'elle montrerait en étant la première à reprendre contact.

On se retrouve au Pub de la place du Général-de-Lattre. Elle commence par le plus urgent : elle a trouvé des paroles de disco tristes. Cause when I'm bad, I'm so bad. Si ça c'est pas triste elle s'y connaît plus en tristesse.

— Dis un peu voir la suite.

— So let's dance.

— Pardon d'avoir encore raison.

— Oui mais elle danse pour oublier.

— Elle ne danse pas pour oublier sa tristesse. Elle danse sa tristesse. Sa tristesse faite danse devient ce qu'elle est : de la joie.

Il faut faire danser le drame.

Rendre le drame à la danse qu'il est.

En face le podium frigorifié de la Journée mondiale de la myopathie tarde à s'animer. Elle m'explique cette maladie du point de vue génétique, par extension je l'interroge sur la part des gènes dans le comportement, elle dit énorme, je dis c'est triste, elle dit c'est ni triste ni joyeux, n'en déplaise à certains la matière n'est ni de gauche ni de droite, on s'embrasse entre la deuxième et la troisième bière, elle raconte qu'en 2030 plus personne ne naîtra handicapé, il ne s'est jamais vu qu'une possibilité ouverte par la science ne soit pas explorée, je dis c'est dommage, elle dit c'est ni dommage ni pas dommage, l'immortalité aussi sera possible bien avant qu'on décide si elle est souhaitable, je la trouve absolument souhaitable, elle pense qu'un immortel finirait par s'ennuyer, mais on peut toujours se suicider, est-ce que d'ailleurs l'immortalité laisse la possibilité de mourir, est-ce que si tel est le cas c'est un privilège ou une disgrâce, la soirée avance, les heures passent invisibles, chaque demi brouille la perspective de finir chez moi comme la décence l'exigerait. Je la quitte devant la maison de son oncle où il est entendu que je ne peux pas entrer.

La fois suivante, même bar mêmes bières, j'entends forcer les événements. Non que cet ajournement du sexe me gêne, on n'est jamais pressé d'aller au maladroit, mais le soupçon s'est fait jour que mon physique la rebute, et je n'ai pas assez de certitudes narcissiques pour m'en foutre. Comme dit Xavier, l'intelligence peut par définition s'auto-évaluer, mais l'attractivité érotique a besoin du suffrage des autres. Après deux demis elle a froid, moi non. À mon hypothèse que je suis moins douillet, elle oppose celle que je ressens moins le froid, de même qu'untel, qu'on salue pour sa capacité peu commune à se remettre d'un deuil, est en fait un être plus insensible que le commun. Elle en conclut que je ne suis pas plus vaillant, simplement je ressens moins. Ce qui l'autorise à imposer qu'on s'écarte de la vitrine d'où filtre l'air glacé. Au passage je fais savoir que mon studio est plutôt bien chauffé. Elle n'en tire aucune conséquence. Je demande si elle me trouve beau. Elle ne sait pas encore. La soirée suit son cours verbal, on songe peu à s'embrasser, peut-être n'est-ce pas le propos, peut-être que parler est ce que nos corps veulent, ou qu'elle est longue à la détente dans ce domaine. Elle m'apprend qu'elle n'est pas blonde. Révélation pour révélation, je lui apprends que je suis prof de lettres. Je tiens à dire prof de lettres et non de français en sorte de maintenir un cordon entre Rimbaud et mon prosaïque quotidien au collège. Profession qui ne lui inspire qu'une réflexion sur l'anomalie biologique de la littérature ; de l'art. J'en déduis que je suis une anomalie biologique, elle s'amuse que je me décrète artiste, je n'aime pas son petit sourire en le disant, j'en retire une vive irritation qui mixée à mon inquiétude de base quant à la nature platonique de cette relation me fait jeter un billet de dix sur le zinc et partir.

Dans la lumière du lendemain cette sortie de scène m'apparaît grotesque. Appeler pour m'excuser ajouterait la faiblesse à la honte. Je me suis mis dans la vase tout seul, comme un grand. Le soir, un coup de sonnette puis le visage déformé de Léna dans l'œilleton m'en extraient. J'ouvre en amorçant une blague propre à effacer mon ardoise mais sa main se plaque sur ma bouche, la maintient en attendant que je me fige, la remplace par ses lèvres. Je suis le mouvement. Sa détermination est interprétable comme préliminaire à du sexe. Je l'interprète comme telle. Dans la suffocation je glisse que je n'ai pas de capote, elle s'en fout, tire d'une main sur son jean, de l'autre déboutonne le mien, je suis pris de court, elle a de l'avance. À ses gestes tremblés je comprends que sa fougue procède moins du désir que de l'anxiété. S'allongeant sur le lit une place et tendant des bras d'accueil, elle est en train de se donner du courage. Sa culotte est noire. Je pense noir corbeau. Je finis de me déshabiller, me positionne le long d'elle, l'embrasse avec plus ou moins la langue, caresse un sein puis descends la main lentement, en somme je récite la gamme, elle respire fort, pousse de sourds gémissements qu'on aimerait de plaisir mais qui sont de peur, une peur douloureuse, ses cuisses se referment sur mes doigts, je tente d'imprimer une force contraire au cas où sa résistance soit une ruse de l'excitation, elle ne l'est pas du tout, cette résistance a pour but de résister, l'accès à son sexe est verrouillé, ses jambes tendues comme prises de crampes, ses bras raides le long du corps, on reste comme ça superposés, paralysés, piégés, plus un geste, elle pleure. Parmi les trois mille mots à disposition, je n'en trouve pas un qui aille. Je prétexte l'envie d'une cigarette pour me décoller. Me voyant chercher un CD, elle demande que je m'abstienne. La musique la heurte quand elle est triste. Mais pourquoi l'est-elle ? Est-ce que c'est moi ? Elle dit non c'est pas toi. Je dis c'est un peu moi quand même, elle dit non non pas du tout. En se redressant pour s'habiller, elle ajoute qu'elle sait qui c'est. Elle adorerait se tromper mais elle sait que c'est à cause de lui.

23

Comment ça lui?

Qui ça lui?

Elle a quelqu'un? Elle sort avec quelqu'un? Pourquoi me l'avoir caché? Ce n'est pas le genre de situations dont je m'indignerais. Les gens se plombent de principes autant qu'ils veulent, moi je trouve l'existence déjà bien assez lourde. Oui c'est ce que je trouve.

Elle souffle un petit rire amer. Elle n'a pas de mec, non. Elle n'en a jamais eu depuis le lycée. Depuis sa seconde. Depuis le premier mois de sa seconde.

— Alors c'est qui lui?

— Tu peux pas comprendre.

On verra à tête reposée ce qui, de cette réponse, du faux sourire d'actrice qui la ponctue, ou de son départ dans la foulée, est le plus irritant. Sans doute les trois, qu'on croirait enchaînés avec soin pour qu'immanquablement mon poing vienne s'écorcher sur le mur.

Ce n'est pas l'irritation mais la curiosité qui six heures plus tard motive mon message sur son portable. En substance, elle m'en a trop ou trop peu dit. Elle me doit une explication.

Il est inexact qu'elle me doive quoi que ce soit. C'est une ruse rhétorique. Qui échoue. Elle ne rappelle pas. Ça me perturbe. Ça empoisonne mes heures, comme un rhume que son silence en se prolongeant transforme en grippe. Je trouve déloyal, je trouve injuste qu'elle me prive du fin mot.

Je devrais donc exulter de la trouver la semaine suivante à la sortie du collège, adossée à la guérite du gardien. Or ça me contrarie. D'abord je n'aime pas les surprises, même si je m'en défends depuis que Julie y a vu une marque de psychorigidité. Surtout je n'aime pas qu'elle me voie avec ma sacoche de prof et les souliers par quoi j'espérais en septembre asseoir mon autorité. Une fibre se réjouit quand même qu'elle ne puisse pas se passer de moi. Je demande si elle est venue pour une visite guidée de la Villeneuve. Elle dit pas seulement. Et André Malraux ça lui plaît comme nom de collège ? Elle dit qu'elle ne lit plus de roman depuis que sa vie en est un. Je déteste cette réponse. Je déteste cette fille. Seule me retient dans son orbite une curiosité plus ou moins saine.

Dans le PMU d'en face rempli de vieux Arabes scotchés à Equidia, elle me raconte le meurtre de sa mère. Meurtre que la justice a nié en prononçant une peine dérisoire dont il purgera moins de la moitié. Elle ironise amèrement sur son prétendu envoûtement, et pleure sa mère élue par lui victime sacrificielle. Toute morale mise à part, je dois bien avouer que je trouve cette histoire géniale. Elle dit sa haine pour l'assassin dont plusieurs relations avortées lui ont fait réaliser qu'il l'a dégoûtée des hommes.

— Je te dégoûte?

— Pas toi. L'homme en toi.

— Ça me semble un peu simpliste.

— Je rêverais que mon corps soit plus complexe.

Je préfère rebrousser chemin sur cette route conflictuelle, et me convertir en allié. Je l'aiderai autant que possible. Avec délectation je dis qu'elle peut compter sur moi. Comme ses sous-entendus ont été clairs et que j'ai bien reçu le message, je lui fais paternellement savoir qu'être vierge à son âge est plus fréquent qu'on ne croit. En hypokhâgne, une synthèse entre nos observations de terrain avait fait ressortir qu'au moins 60 % des trente-deux filles de la classe l'étaient encore. On avait lié le phénomène à la nature de l'habitus étudié, postulant grossièrement que les spasmes littéraires compensent un déficit érotique. Ceux des filles, s'entend. Nos spasmes littéraires à nous étaient d'ordre esthétique.

Les semaines suivantes, j'endosse le rôle du confident patient et prodigue en recommandations. Cet homme la hante et c'est le moindre mal qu'il pouvait lui faire. Mais en le maudissant, elle lui offre une éternelle emprise sur elle. Je fonde cette réflexion sur le Que sais-je? Bouddha et le bouddhisme dont j'ai lu l'avant-propos. Le salut c'est l'indifférence, le détachement, l'ataraxie qui après vérification dans le Larousse vient plutôt des Grecs.

Il s'en faut d'un reste de faculté d'ironie que je me prenne pour un sauveur.

Je ne suis pas assez misogyne pour que sa virginité

m'excite, mais elle me confère une autorité sexuelle et un magistère existentiel. À ce titre je ne suis pas pressé d'y mettre un terme. C'est elle qui, un soir de février 2001, crève la confortable bulle asexuée en s'invitant à nouveau dans ma chambre. Elle sort d'une séance de Requiem for a dream. On fume deux cigarettes chacun en envisageant la consommation d'héroïne comme moyen de s'alléger. Cela dit, le film montre qu'elle ne procure pas que du bien-être. Ou alors en raréfiant les shoots. Faut savoir doser. C'est comme tout. Notre conversation n'en est pas une. Personne n'est à ce qu'il dit. Je songe que je ne me suis pas douché depuis l'avant-veille. Je suppose qu'elle trouve que le studio pue, moi je ne sens plus rien, c'est assez crispant de ne pas savoir, comme pour l'haleine. Elle demande de la musique. J'en déduis qu'elle n'est pas triste. Elle me fait répéter. Je redis qu'elle n'est pas triste si elle peut supporter la musique. Je suis content de pouvoir passer du Queen. Devant témoin, l'allégresse tragique des guitares devient la mienne. En l'occurrence le témoin est peu attentif au morceau. Elle voulait juste dissiper le silence. Mais tout bien réfléchi le silence lui irait mieux. Coupant le lecteur CD, je me fais l'effet d'une camériste aux ordres de sa duchesse et cette comparaison ne sert à rien. Elle se lève pour dézipper sa jupe, découvrant sa culotte noir corbeau qu'elle me demande de tirer mais doucement. Je l'assure de ma douceur. Qu'elle ne craigne rien surtout. Il n'y a aucune raison qu'elle soit incapable de cet acte universel qui, je m'en porte garant, lui procurera bientôt plus de plaisir que de peine. Même les Pygmées y arrivent. Même la chanteuse des Cranberries. Elle rigole mais le cœur n'y est pas. Le cœur doit battre fort. Sa tension me tend. Je suggère de commencer par la lécher. À sa demande je chasse la lumière en masquant d'un manteau le rai entre les rideaux. Finalement le noir l'angoisse, elle préfère le jour, et qu'on fasse normalement. Je demande ce que signifie normalement. Sans passer par la langue, dit-elle en s'allongeant. J'amorce les gestes ad hoc mais le protocole élémentaire l'angoisse aussi. Elle serre les jambes, demande d'attendre un peu, inspire longuement pour se concentrer, renonce. Elle n'y arrivera pas. Elle n'y arrivera jamais. Il l'en empêche.

Lui l'en empêche.

Je l'exhorte à adresser à Lui un gros merde à distance en écartant les jambes. C'est la meilleure réponse à ce salaud.

Elle se redresse en tailleur, l'oreiller entre les cuisses, et sans transition raconte qu'au tribunal il a osé dire que sa mère avait choisi le fric contre l'amour. Ce salaud a réussi à retourner son procès pour meurtre en réquisitoire contre la femme qu'il a égorgée.

Soudain je comprends.

Dans le surgissement de ce récit sur le matelas encore marqué par son corps, dans la fluidité de ses phrases mille fois tournées dans sa tête et sans lassitude, sans lassitude c'est important, dans ce égorgée tout pétillant d'excès, je comprends qu'elle aime sa situation. Qu'elle a transformé son mal en martyre. Qu'elle fait passionnément corps avec son empêchement. La persistance cérébrale de l'agression de sa mère est devenue son principe vital, le cordon diablement solide qui la retient à l'existence. Elle ne le couperait pour rien au monde.

Je comprends son plaisir, solitaire et reproductible à l'infini, de ressasser son fiel.

Je n'en montre rien. Je ne sors pas de mon rôle de protecteur aux petits soins. Mes certitudes acides se modèrent en questions bienveillantes. Pourquoi elle ne se soigne pas ? Pourquoi pas un psy ? Cela se fait.

— Je sais ce que j'ai. Je ne vais pas dépenser mille euros pour qu'on me le dise.

— Ils te proposeraient une thérapie.

— La thérapie c'est de me débarrasser de lui.

Elle renfile son jean, je renfile le mien, nous nous passons le briquet, elle s'amuse des murs sans décoration, trouve que ça sent les frites de McDo, tripote les feuilles manuscrites sur le bureau, déduit d'un schéma joint qu'il reste quatre chapitres à écrire, annonce un best-seller mondial, plaisante qu'il va juste falloir commencer par trouver un éditeur. Guillerette. Légère comme l'air. Je comprends toujours mieux.

— Tu te rends compte que tu parles comme lui ?

Je le répète un ton au-dessus en détachant les syllabes : est-ce que tu te rends compte, Léna, que tu parles comme lui ? Il ne m'échappe pas que ce prénom en vocatif nous propulse aussi sûrement au théâtre que l'anaphore qui suit, mais c'est trop tentant. Est-ce que tu te rends compte que c'est l'assassin qui parle à travers toi ? Est-ce que tu te rends compte que ta fixette perpétue la merde ? Sa victoire est totale si tu te venges.

— Qui dit que je veux me venger ?

— Me débarrasser de lui ne signifie rien d'autre.

Elle ne le nie pas. Le réalise peut-être seulement à cet instant.

— Si tu te venges, tu insultes la vie autant qu'il l'a fait.

— Je m'en fous de la vie.

— Eh ben tue-toi !

— Ce serait lui rendre service. Je veux qu'il souffre.

Elle découvre ses intentions à mesure qu'elle les énonce. À ce titre cette discussion l'enchante. Elle remet de la musique pour fêter ça.

— Plus il souffre, plus je serai heureuse.

— Nous y voilà.

— Le mieux serait qu'un jour il ait un gosse. Une fille. J'attendrai qu'elle soit assez mûre pour que l'assassinat de son père la détruise.

— T'es pas détruite, Léna. T'es très structurée. Très équilibrée. Droit dans les bottes de ton ressentiment.

À ces mots que j'estime très inspirés elle n'a rien à objecter puisqu'elle ne m'écoute pas. Elle sent bien que ne pas m'écouter sert davantage ses intérêts affectifs. Elle va même s'exfiltrer de cette zone pour que je ne la désaxe pas de sa ligne de confort. La porte claque derrière elle, blanche et muette.

Mon poing reste calme mais il n'en pense pas moins. Je n'ai pas eu mon content. Je veux me repaître encore de son obstination mortifère, qui en miroir m'érige en parangon de raison. Dans la soirée je lui laisse des messages d'excuse, j'ai été trop brutal, j'en suis désolé, il ne faut pas m'en vouloir, revoyons-nous pour en parler, je promets d'être aussi compréhensif qu'elle sait que je peux l'être. On n'a pas lu Sénèque pour rien. On a lu des résumés qu'on résume bien.

Elle ne rappelle pas.

Je suis insatisfait. Je mérite une meilleure sortie.

À mon tour de la surprendre, le lundi suivant. Repérant sa Punto bleue sur le parking de la fac, je m'assois sur un plot face à l'entrée. Il me tarde.

Comme prévisible elle feint de ne pas me voir, trace vers la voiture, se réfugie au volant. Je m'impose dans l'habitacle. Si j'avais pu j'aurais surgi du siège arrière.

J'ai aussi pensé lui remettre une lettre, écrite sur le modèle de celle envoyée à Catherine pour rompre, mon chef-d'œuvre à ce jour. Mais je me serais privé du surcroît d'intensité qu'offre la mise en bouche des phrases concoctées par-devers soi. Non décidément l'option orale est la meilleure.

Je la préviens qu'il est inutile de faire jouer sa clé. Elle ne va pas allumer le contact. Elle va se caler dans son siège et sagement m'écouter lui dire qu'elle a tort de se prétendre incapable d'amour. En vérité elle est très amoureuse. Très amoureuse de la tragédie mentale dont elle s'est donné le beau rôle. Partout, à toute heure, cette fable l'entretient, la régénère. Est sa tutrice indéfectible. Tu es folle d'amour, Léna. Folle d'amour pour ton histoire. Ton histoire qui n'est pas la mienne. Je n'y fais que de la figuration. Comprends que j'aspire à des partitions plus gratifiantes.

Elle m'approuve sur un point : que j'existe ou non

n'affectera aucunement son destin. Personne ne lui ôtera des mains son jouet, son malheur. Il n'est donc pas douteux que mon intervention dans cette histoire ne modifie en rien son cours, pas plus qu'elle ne décidera de sa fin, puisqu'il en faut une. Dans un labo, on établirait que, plongé dans le compost des facteurs multiples présidant au processus général, j'y suis quantité négligeable.

Je ne me le fais pas dire deux fois. J'ai ma fierté. J'ouvre la portière et, ajustant pour une fois mes actes à ma parole, je sors.

24

Un après-midi, vers 17 heures, les murs de Perrache vibrent d'une rumeur qui gonfle en sifflets euphoriques, cris de victoire, slogans vengeurs, menaces de sévices, allahou akbar. Pendant cette heure de liesse, Gilles s'astreint d'abord à l'indifférence. S'efforce de dormir en attendant que ça passe. Les yeux d'Hamza ne décrochent pas de l'écran où un avion après l'autre éventre en boucle sa tour attitrée. Il secoue la tête, incrédule. Trop facile. Le Sheitan ne se laisse pas vaincre si facilement. Le complot est sa stratégie de prédilection. Le Réseau procède par la ruse comme le charpentier par le bois. Il a simulé une agression contre lui-même pour déguiser en représailles la guerre qu'il ourdit de longue date, comme les Juifs ont manipulé les nazis pour qu'ils les exterminent et justifient les crimes d'Israël. Ce gratte-ciel gorgé de mécréants devait s'effondrer, l'orgueil mercantile des hommes être châtié, mais mon frère laisse-moi te dire que la grande joie qui est la nôtre aujourd'hui ne doit pas nous aveugler ni nous détourner de la lutte sans fin contre le Malin.

Bondi de sa couche, Gilles lui met son poing dans la gueule.

Son poing serré de rage dans sa grande gueule.

C'est la première fois qu'il frappe un homme. Ça lui plaît tellement qu'il recommence. Plaquant sa cible au sol, il meurtrit le visage barbu d'Hamza en grognant. Longtemps. Après coup il sera incapable de dire combien de temps. Trente secondes, deux minutes. Il ne s'appartient plus. Ou s'appartient mieux que jamais. Hamza impassible attend que Gilles ait son content pour lui dire c'est bien mon frère. Il fallait que ça sorte. Ton chemin de foi commence ici. L'offense à Dieu est un premier appel à Lui. Gilles reprend son souffle sans rien dire. Il n'en revient pas du plaisir pris. Il en oublie de se dégager et le surveillant Bauer alerté par le bruit le trouve à califourchon sur Hamza qui lui parle continûment, doucement, comme un homme à une bête sauvage.

Son nez pansé en attendant réparation chirurgicale de la fracture, Hamza retrouve Gilles dans le bureau du chef d'établissement. De l'avis unanime c'est un gentil, les matons l'appellent Jacques plutôt que Neyret. Il exige des explications sur cet esclandre. Gilles raidi sur sa chaise ne parlera pas, Hamza dit que c'est très simple, tout est de sa faute. C'est lui qui a accusé Gilles de pratiques sodomites et insulté sa mère, Dieu la garde. Le prophète a dit que celui qui insulte ta génitrice est un chien de colon israélien, il doit être décapité et crucifié en place publique jusqu'à décomposition de sa chair. Partant de là il mérite largement les coups de Gilles. Il demande à être changé de cellule, non pour son bien mais pour celui de son frère français qui a besoin de solitude pour cheminer vers la lumière. Le directeur remercie Hamza pour ces aveux francs qu'il aimerait voir complétés par des excuses. Hamza se tourne vers son agresseur et lui demande de lui pardonner. L'agresseur lui pardonne.

Gilles passe la nuit suivante à se taper le front. Qu'est-ce qui lui a pris? Quelle force l'a pris? Quel fauve en lui l'a fait bondir? Sa peur est de retour et il en est la cause autant que l'objet. Il est la menace et le menacé.

Il est possible que cette peur préfigure une libération. Qu'elle soit la première couleur de la lumière divine. Que les palabres d'Hamza le travaillent encore lorsque le surlendemain il se présente à la bibliothèque pour la première fois en cinq ans.

Au détenu chargé des prêts qui lui demande son genre de livres, Gilles est incapable de répondre. Jusqu'ici il a parfaitement honoré sa promesse, faite le soir du bac de français en levant une pinte de bière, de ne plus jamais ouvrir un livre. Comme il lâche polar à défaut de connaître d'autres genres, le détenu bibliothécaire en tire deux de l'unique rayonnage. Le titre du premier est en lettres gothiques sanguinolentes. La traque d'un tueur d'enfants handicapés manipulé par les services secrets saoudiens, résume la quatrième de couverture. Ce qui ne le tente pas davantage que l'ultime enquête d'un vieux flic misanthrope dans les peep-shows de Pigalle où il tombe sur un strip-tease de sa fille qu'il croyait dentiste mais leur coopération les réconcilie et chacun reprend sa juste place dans un monde ordonné. Gilles ne veut pas de fiction, il ne veut plus d'histoires. Il préférerait un ouvrage qui transmette des connaissances. Par exemple il serait curieux de comprendre pourquoi un fusible de son cerveau a sauté deux fois. Péter un plomb, dit-on, mais un scientifique dirait comment? En s'y mettant à deux, ils trouvent un essai sur les neurosciences publié en 1957. Gilles découvre que le mot essai peut désigner un type de livre. L'explication du détenu bibliothécaire n'empêchera pas qu'il prenne ce livre pour un coup d'essai, une tentative, un brouillon en attendant la bonne version.

Il s'accroche pendant dix pages puis en saute cent pour scruter les schémas colorés rassemblés en appendice. L'arrête entre tous un corps humain en coupe bordé de flèches longeant les veines jusqu'au cerveau où des points s'irradient. Il s'endort en ruminant l'expression mon sang n'a fait qu'un tour.

Il rend l'essai sans l'avoir rouvert et dans la foulée s'inscrit à un groupe de parole dont radio zonzon prétend que l'animatrice est imbaisable. De visu, Gilles trouve le verdict sévère. Il a bien dû se trouver un ou deux hommes pour entreprendre cette femme certes mal proportionnée mais jolie de visage. Oui, ton père et ton oncle, suggère Stéphane, le marrant du groupe inscrit sans interruption depuis son arrivée ici en 1985 pour une série de viols dans un centre d'équitation. Perrache ne s'est pas privé de le soupçonner d'avoir aussi sailli quelques juments. Au fil de la discussion en cercle, Gilles réalise que la plupart des inscrits sont des agresseurs sexuels, et croit deviner que l'un d'eux imposait des activités peu scolaires à ses élèves de CE1. On ne le reverra plus dans ce groupe. Il n'a rien à voir avec ces gens-là.

Il sollicite un rendez-vous avec le surveillant général pour obtenir un compagnon de cellule. De préférence quelqu'un de la même culture. Les Arabes demandent à être entre eux, pourquoi nous on n'aurait pas droit ?

Un mois plus tard lui échoit Jean-Claude, que tout le monde sauf sa mère appelle JC. Comme Jésus-Christ mais en plus célèbre, ajoute-t-il. Cambrioleur de métier, il a tiré sur un propriétaire en légitime réplique à son tir de légitime défense. C'est juste lui qui a le mieux visé. La connerie est d'avoir eu un automatique sur soi. Les armes on finit toujours par s'en servir sinon à quoi elles servent.

Gilles va finir par croire que c'est la cellule des scoumounards, allusion à Hamza condamné à la place d'un autre. JC rigole. Il connaît bien le parcours de ce mytho. C'est lui qui a fumé un mec et son frère qui s'est mis le crime sur le dos. Sauf que personne ne l'a cru.

Passé cette discussion sautillante, JC se révèle un taiseux, ce qui contrevient au projet de Gilles désormais disposé à la verbalisation ; à poser des mots sur les maux, comme il l'a entendu dans C'est mon choix sur France 3 à 14 h 15 du lundi au vendredi.

Il se souvient que six mois avant leur rupture, Hamza s'était porté candidat pour des parloirs avec un bénévole. Le tract de l'association de visite en prison s'achevait sur une ligne en gras : n'ajoutez pas aux murs celui du silence. Hamza avait arrêté les frais après le troisième rendez-vous, désespérant de faire admettre à son visiteur catholique que les deux premières religions abrahamiques n'étaient que des brouillons de l'islam.

JC dit à Gilles de se méfier de ces dispositifs. Les filles qui visitent sont des tordues. Des mal baisées qui viennent se chercher un mec dans la communauté pas regardante des taulards. Tu vas voir qu'un jour une d'elles demandera Guy Georges en mariage. Non franchement ces filles-là elles sentent trop la détresse.

S'asseyant face à Gilles pour leur premier rendez-vous, Sonia n'a pas l'air en détresse, encore moins d'une mal baisée. Ou alors celui qui la baise mal ne doit vraiment pas être dégourdi, songe Gilles. Elle tient à le rassurer tout de suite : elle ne lui lira pas les quatre Évangiles. Aucun évangile, en fait. Les associations caritatives du Rhône sont certes souvent d'obédience chrétienne, mais ont tellement de mal à recruter qu'elles ne sont pas regardantes sur les convictions ou les personnalités des bénévoles. Ils ne lui ont même pas demandé sa carte d'identité. Pour sa part elle croit à peu de choses, si ce n'est au tiramisu. Aux gâteaux en général. Gilles est ravi d'apprendre qu'ils partagent la même chapelle.

Interrogée sur le pourquoi de son bénévolat, elle répond qu'elle le fait d'abord pour elle, pour se sentir utile. Il est son premier visité, elle n'a pas le mode d'emploi et s'excuse d'avance si elle ne trouve pas les mots justes.

L'a-t-elle choisi lui en particulier ?

Oui, sur le prénom. Gilles elle aime bien.

Sait-elle ce qui lui vaut de séjourner ici ?

Non, elle l'ignore, c'est la règle, et elle ne veut pas en entendre parler. Elle n'est là ni pour le juger, ni pour lui pardonner.

Trois semaines plus tard, elle porte le même pull torsadé à col roulé. Gilles imagine que les visiteuses ont pour consigne de lever toute ambiguïté par une tenue asexuée. Reste que même sans décolleté ni maquillage elle a le charme de ses vingt-deux ans. Heureusement Gilles n'est pas dans cet esprit-là. Et puis Sonia pourrait être sa fille.

Elle lui a apporté deux livres, sans obligation. Ce n'est pas parce qu'elle est étudiante qu'elle considère qu'une vie sans lire est indigne. Disons juste que la vie va parfois mieux en lisant. Gilles en convient mais il doit d'abord finir le sien. Un essai. Sur les neurosciences. Invité à en dire davantage, il résume les dix pages lues. En gros tout passe par le cerveau, même des trucs super physiques comme manger ou l'amour. Elle demande le nom de l'auteur, il a oublié, il le notera pour elle. Sans faute.

Ils se revoient une fois par mois pendant un an. Avant chaque séance il prend soin de se masturber. Il ne voudrait pas qu'un chatouillement au bas-ventre lui fasse porter la conversation sur un plan qu'il veut éviter. Hélas Sonia est décidément peu repoussante avec sa bouche lippue et ses petits yeux noirs. Même vidé, Gilles sent le sang lui monter aux joues lorsque la conversation prend un tour moins factuel, plus confidentiel. Lorsqu'elle lui dit qu'elle aime bien dormir nue l'été dans des draps frais.

La zone devient à haut risque.

Il faut réagir avant que ça recommence.

Sur les conseils de JC, il dit à Sonia l'exaltation que lui procurent leurs rendez-vous, le but qu'ils lui donnent tout le long du mois, mais vu son apparence très avenante il craint que cette complicité fasse germer en lui des sentiments qui lui ont déjà causé trop de soucis. Pour qu'elle comprenne sa crainte, il va être obligé de rompre leur pacte en lui racontant pourquoi il est en taule.

Sonia fronce le nez: est-ce vraiment nécessaire?

Oui, ça l'est. Vraiment. Ainsi tout sera carré entre eux.

Le visage de Sonia s'efforce de rester neutre pendant le récit. Elle n'est pas là pour juger. Ni pour pardonner.

Pour la première fois, Gilles s'entend dire meurtre. Il y est parvenu, sans groupe de parole ni psychologue. Ça lui fait un tel bien qu'il s'arrange pour le replacer plusieurs fois. J'ai commis un meurtre. Il y a un avant et après le meurtre. Rien ne justifie un meurtre. Rien.

Sonia trahit malgré elle son vœu d'impartialité en observant que, si la section de carotide a été considérée involontaire, ce n'en est pas un. De meurtre. Gilles dit qu'il ne veut plus faire la différence. La faveur que lui a faite la justice en le déresponsabilisant de la moitié de son acte est un cadeau empoisonné. Si ça se trouve une peine plus lourde l'aurait mieux aidé à se purger de toute cette merde. Sonia le trouve quand même un peu culotté. Il s'excuse: cette réflexion lui est venue sans réfléchir. Empêcher une connerie de vous passer par la tête est aussi difficile que d'arrêter le vent avec les mains. Sonia clôt l'incident en disant que si la clémence des juges l'accable, il n'a qu'à demander une prolongation de peine.

Ce serait drôle, conclut-elle sans rire.

Ce serait une première.

Et surtout une inversion du processus en cours. Chaque année sa peine est réduite d'un quart, comme c'est l'usage. La bonne conduite générale de Gilles n'étant pas entachée par la bagarre dont l'a disculpé Hamza, sa libération est prévue en octobre 2003, huit ans après sa première nuit en préventive. Lors de leur dernier entretien avant l'échéance, Sonia propose de passer le prendre à la sortie et de l'héberger les premiers temps. Puisqu'il n'a plus personne pour l'accueillir, puisqu'il ne veut plus revoir le peu d'amis qu'il avait, ça lui laissera le temps de se réadapter à la norme. En tout bien tout honneur.

Gilles veut croire à ce bien et à cet honneur, mais visiblement il n'a pas été assez clair. S'il a raconté ses fautes, ce n'était pas pour s'en exonérer, mais pour qu'elle comprenne pourquoi il ne veut plus manipuler le cocktail de l'amour, trop explosif pour lui. Sonia est prise d'une crise de larmes qui alerte les deux parloirs contigus. Gilles ne peut pas dire ça. Son crime ne peut pas être une conséquence de l'amour. Si l'amour mène au crime, ce n'en est pas.

Ou alors ce n'est pas un crime, s'interdit de penser Gilles pour ne pas régresser dans sa reconstruction, comme dit Mireille Dumas dans Bas les masques chaque mardi à 22 h 35. Laissons cela pour l'instant. Laissons ce qu'il en est objectivement. Ce qui compte c'est que sous son toit hospitalier, il ne se passe rien de sentimental entre eux. Elle ne doit pas mal le prendre, elle est une fille épatante et dans sa vie d'avant il serait sans doute tombé amoureux d'elle. Pour le coup Sonia sourit. Loin d'elle l'objectif d'une relation. Son petit ami actuel comble ses attentes dans ce domaine. Un Suisse, doux et attentif. Que Gilles prenne l'hébergement comme un simple complément de service, et compte sur elle pour le foutre dehors au bout de trois jours. Sa sainteté a des limites. Ils se sourient. Se taperaient dans les mains s'il n'y avait la vitre.

Accord conclu.

Quand Gilles franchit les portes lourdes du centre de détention, Sonia est là qui sourit, encore embuée par son réveil à 6 h 17. Ils se donnent une étreinte sans équivoque. Fraternelle. Le réflexe de Gilles d'aspirer le grand air à pleins poumons est peut-être conditionné par l'idée qu'il se fait d'une sortie de prison. Elle demande s'il y a une chose qu'il voudrait voir en priorité. Il dit rien de particulier. Tout. Mais aucune urgence. La vie devant soi. Pour être franc, ça arrange Sonia car son emploi du temps du jour est serré.

La redécouverte du monde est remise au lendemain.

Aujourd'hui, installation.

Sur la rocade elle rate l'embranchement vers Annecy, qu'elle rattrape six cents mètres plus loin. Mon côté blonde, commente-t-elle. Gilles sourit béatement à tout. Sait-il pourquoi les hommes préfèrent les blondes?

— Non.

— Parce qu'elles leur rappellent Brigitte Bardot, Marilyn Monroe, etc.

Il ne voit pas où est le comique, elle explique le raisonnement circulaire. Les hommes préfèrent les blondes parce qu'elles leur rappellent Marilyn qu'ils aiment parce qu'elle est blonde. C'est un peu comme le fou qui s'accroche à son pinceau pour peindre le plafond. Ou cet autre fou qui promène une brosse à dents en laisse, alors les gens la caressent pour ne pas le contrarier et lui il les trouve dingues de caresser une brosse à dents. Non en fait ça n'a rien à voir, s'excuse Sonia. De toute façon Gilles a renoncé à piger. Il ouvre grands les yeux, à l'affût de changements comme on suppose qu'un détenu libéré l'est. Il remarque une enseigne KFC dont il n'a pas vu les débuts, et à rebours l'affiche d'un concert de Gloria Gaynor qu'il aurait crue morte.

À 10:23 au tableau de bord, Sonia se gare devant une belle bâtisse imitation chalet, avec terrasse ombragée par un auvent en bois. Gilles s'étonne que la ville embrassée depuis ces hauteurs lui fasse si peu d'effet. En vain se concentre-t-il pour réaliser que quelque part sous cette couche de toits orange il a fait ce qu'il a fait.

À l'intérieur la maison semble encore plus vaste. L'hôte n'ose pas demander comment une étudiante a pu acquérir tout ça. Il ne l'ose car il flaire un héritage et Sonia a toujours esquivé le sujet de ses parents. Lui n'héritera sans doute de rien. L'idée n'est pas pour lui déplaire.

Une autre explication serait que le frère avec qui elle cohabite soit fortuné. Un patron de PME, un neurologue réputé. Un baron de la drogue, va savoir. Gilles en saura plus quand il le croisera. Pour l'instant il n'est pas visible. Il passe ses journées dehors, explique Sonia, qui déjà en retard montre à Gilles sa chambre avec cabinet de toilette au rez-de-chaussée. Elle le laisse découvrir le reste tout seul, à son rythme. Il peut aussi faire un tour. Il trouvera un sentier de promenade en coupant par le bois en pente qui prolonge le jardin. Et bien sûr piller le frigo. Ses cours se terminent à 18 heures, elle sera là deux heures après environ.

Allez, elle file.

Livré à lui-même pour la première fois depuis deux mille neuf cent douze jours, Gilles se précipite dans le jardin incongrûment planté d'un palmier. Sur l'herbe fraîche les pieds nus commencent à se convenir. À travers les frondaisons il voit des bouts de lac. Il songe qu'il descendrait bien y piquer une tête, goûter pleinement au monde à ciel ouvert, mais le ciel ouvert c'est trop. La cellule de prison est trop étroite mais le grand air trop grand. Il faut trouver l'espace à notre mesure. Pas une prison, pas le ciel. Le plafond ni trop bas ni trop haut. L'espace juste. Une maison est juste. C'est dans des maisons que les gens se sont mis.

Il rentre, et sa première pulsion de circuler à l'envi dans cet intérieur non verrouillé, d'ouvrir une à une les portes que distribue le couloir tapissé de jaune, d'aller et venir sur le balcon qui court sur tout l'étage, est coupée dans son élan par la fatigue. Même pas envie de ce bain bien chaud que prennent invariablement les libérés du cinéma. Il s'effondre sur ce que Sonia a appelé son lit de roi.

Rouvrant les yeux, le radio-réveil indique 15:12 alors qu'il pense avoir dormi vingt minutes. Ce qu'il préméditait comme une sieste a tourné en nuit diurne. Seule la faim l'arrache à la torpeur qui le cloue à cette couche royale.

Au salon, un homme de son âge regarde un dessin

animé japonais. Le frère de Sonia est donc sensiblement plus vieux qu'elle. Il lui tend une main engageante. L'autre ne la serre pas mais son sourire plein de dents laisse passer un bonjour, en détachant étrangement les deux syllabes. Il porte un bermuda de toile orange et des tongs ajustées. En se dépliant ses jambes se révèlent immenses.

Dans la maison les jambes sont plus grandes que dehors. C'est ce qu'il dit.

Puis se tait quand le nouveau venu demande s'il peut se préparer un café.

Ce laconisme pourrait intriguer Gilles, voire l'inquiéter, mais la peur est derrière lui. Plus rien ne peut lui arriver.

25

À la sortie du TD, Léna monte dans les bureaux pour l'entretien hebdomadaire avec son directeur de thèse dont la condescendance sexagénaire lui est encore plus pénible que d'habitude. Normal. Normal qu'un jour comme aujourd'hui ses terminaisons nerveuses soient hypersensibles. Elle assourdit le monologue paternaliste en fixant les mains du locuteur, leur imaginant une vie autonome ou qu'elles sont un couple de chauves-souris. Décomposer un ensemble reste la meilleure technique pour le supporter.

Rendez-vous pris après Pâques, elle redescend au labo qu'elle sait désert à cette heure. Elle disposera du matériel à sa guise. Récupérera du soufre élémentaire dans la remise, le brûlera au bec Bunsen, dissoudra le dioxyde de soufre obtenu dans du peroxyde d'hydrogène. H_2O_2 : $SO_2 + H_2O_2 \rightarrow H_2SO_4$. L'enfance de l'art. La chimie marche à tous les coups, c'est la clé de sa supériorité sur l'existence. À tous les coups l'acide sulfurique attaque la peau. Un produit naturel n'aurait pas cette infaillibilité. L'acide sulfurique pur n'existe pas dans la nature, c'est pourquoi on peut compter sur lui.

Léna enfile des gants en latex pour verser le liquide brunâtre visqueux dans une flasque en étain qu'elle referme et glisse dans son sac.

La chimie est une seconde nature qui rachètera la première.

Elle salue une femme de ménage pliée en deux dans les escaliers. Y a-t-il plus éreintant que nettoyer des marches ? Oui sans doute. Le pire est toujours probable. Combien de fois a-t-elle pensé qu'il y avait pire que son sort ? Combien de fois conclu que ça ne changeait rien ? Cent mille enfants morts de faim n'aideront jamais à endurer des calculs rénaux.

Les amphis du niveau 1 se remplissent pour les derniers cours. Ses années comme étudiante n'ont pas connu plus morose que les heures sous les néons jaunâtres des salles de deug et dehors la nuit ne promettait rien. Elle se félicite d'être passée de l'autre côté de la barrière. Non, pas de métaphore. La métaphore ment. Dans 99,99 % des cas mourir de peur n'entraîne pas la mort. Dans 97 % des cas, passer au vitriol se fait sans acide. C'est sans acide que la critique de cinéma passe un film au vitriol. Sans acide qu'un pamphlet passe au vitriol le gouvernement Raffarin. Un pamphlet peut se nommer brûlot sans rien brûler. Léna rêve d'un langage à plat, aussi élémentaire qu'une équation. Son directeur de thèse lui a doctement signifié que le langage par essence métaphorique rend cette rêverie chimérique. Elle tient qu'une formulation littérale est toujours possible. Didier le peut. En l'espèce : chargée de TD en tant que doctorante en biochimie cellulaire, Léna Luciano a gagné le droit de ne plus s'ennuyer en cours.

Sa Punto passe sous la barrière, bien réelle celle-là, du parking de la fac.

Cette fois elle ne rate pas l'embranchement. Le périphérique de Grenoble est moins noueux que celui de Lyon. Elle cherche une station où des gens parlent. Un jour comme aujourd'hui la musique la heurterait. Elle s'arrête sur France Inter où trois personnes se disputent la vérité sur la réforme des retraites. Elle a calé la flasque roulée dans un torchon au fond de la boîte à gants. Manquerait plus qu'elle se renverse. Le plastique y passerait, et ses mains si elles traînent par là. L'acide est plus fort que la peau mais moins que l'étain car l'étain est un métal. Le métal est plus consistant car il est composé d'atomes et d'aucune molécule. L'atome est l'invariant, la molécule le principe de variation. Briguant les huées forcées des filles du groupe, un prof de licence aimait expliquer ainsi le fait que les atomes sont masculins et les molécules féminines.

À Annecy elle crochète par le bourg pour s'arrêter à la pharmacie. Son père n'y sera pas. Son père n'y est plus. Au début les employés parlaient aux clients curieux d'un petit coup de fatigue bien compréhensible. Puis se sont autorisés à parler de maladie. Un pharmacien malade, cela se peut. Un cordonnier mal chaussé. Un bailleur mal loti. Un pompier pyromane. Non ce n'est pas exactement pareil. Un sprinter cul-de-jatte. Il en existe. Au fil des décennies tout deviendra possible. Toutes les combinaisons cellulaires. L'infini.

Elle demande de l'aspirine en sachet et de la mélatonine. Un tube de l'une, cinq flacons de l'autre. Elle précise : en liquide. Madame Blatter réprime une grimace perplexe. Le client est roi et Léna a fortiori. Aux yeux des ex-employés de son père, son beau malheur l'a élevée au rang de diva à qui on passe tout. Si elle les informe que la dose de somnifère liquide servira à son suicide, ils diront qu'elle décompense par l'humour noir. Si elle hausse les épaules à l'évocation de son pauvre papa ravagé par le chagrin, ils diront que cette rudesse est la carapace qu'elle se forge contre le destin. Ils auront des mots pour tout, et ce seront autant d'œillères pour ne pas voir sa haine.

Elle trouve Gilles au salon, hagard devant Le Grand Journal, agitant l'éventail imprimé de grenouilles. Il explique que son grand frère le lui a laissé avant de repartir au bois. Il suppose que c'est un cadeau de bienvenue. Léna confirme, Didier est généreux.

— Mais pas très bavard.

— Disons qu'il ne parle pas pour ne rien dire.

Gilles s'en félicite. Pareille économie de mots le délasse et tout ce qui le délasse est bon à prendre. Il pensait faire dix mille choses aujourd'hui et il n'a envie que de repos. De vrai repos, pas comme à Perrache. Le comble avec la taule c'est qu'elle vous épuise à ne rien faire. Léna suppose que la même apathie paradoxale gagne tout libéré. Une réaction métabolique à l'extérieur, comme une peau réagit au soleil. Que Gilles ne force rien surtout, la machine va se remettre en marche progressivement, il a tout le temps.

La vie devant soi ! ponctue-t-il.

La vie devant soi, acquiesce-t-elle.

Elle ne lui a jamais demandé dans quelle branche il compte trouver du travail, et pour cause.

Elle espère qu'il rassemblera quand même assez de forces pour avaler les crêpes qu'elle s'en va préparer. Il promet que oui. C'est tout à fait le genre de dîner dont il rêvait. À croire qu'elle lit dans ses pensées. En revanche Léna a pu constater que lui ne lit pas dans les siennes. Imitant mal l'emphase d'un avocat, il la défie de justifier cette assertion. Elle hésite entre plusieurs réponses, de la plus codée à la plus explicite. Opte pour une voie intermédiaire : il n'a jamais deviné que ses cheveux étaient teints, par exemple. Pour ces détails les hommes n'ont pas l'œil. Gilles proteste joyeusement, mettant cette négligence sur le compte de ses efforts pour ne pas appréhender physiquement sa visiteuse.

La pâte prête, elle suggère qu'on réduise la distance de la poêle à l'assiette en dînant à la cuisine. Et impose une stricte répartition des rôles : elle coule les crêpes, il les engloutit.

— À vos ordres, capitaine.

Pour sa part elle s'abstiendra, elle a déjeuné tard à la fac. À la rigueur elle s'en mettra une ou deux de côté pour le petit creux de fin de soirée.

Elle se congratule d'avoir évité les grumeaux. La pâte s'étale à merveille dans la poêle huilée dont s'extraient des galettes fines que Gilles nappe de miel sans modération. Le sucre lui a tellement manqué. Denrée rare en prison. De toute façon à Perrache tout manquait sauf les injures. Langue officielle de cette contrée sans horizon où celui qui parle doux passe pour attardé ou efféminé. Il s'étonne d'y avoir survécu. C'est fou le niveau d'abjection auquel l'homme est capable de s'accommoder. Elle note que finalement il ne regrette pas sa réduction de peine. Il veut bien l'admettre. Il va s'en faire une au Nutella tiens.

Bonne idée.

Mange, mon pote.

Profite bien.

Des aiguilles de sapin hérissent les cheveux de Didier. Il s'assoit face à Gilles qui lui propose sa crêpe gluante de pâte marron. Léna y met un veto anormalement sec : le chocolat lui réussit mal, il va se tordre le ventre toute la nuit. Indifférent au débat qui le concerne, Didier fixe l'hôte. Il dit : partir est bien. Gilles sourit à défaut de comprendre. Didier reprend : partir est mieux que rester. Gilles choisit d'entrer dans ce qu'il croit un jeu. Doit-il déguerpir sur-le-champ ou lui accorde-t-on une minute pour finir son verre de cidre ? Didier est sourd à l'ironie. Rester est moins bien que partir, varie-t-il. Léna est moins douce que Sonia. Ce manège incompréhensible de phrases et de prénoms fait tourner la tête de Gilles. La cuisinière d'un soir le rassure, il n'est pas le premier que son frère gratifie de formules indé-chiffrables. Celui qui les percera n'est pas né. La réponse de Gilles s'empâte à mi-chemin. Les premiers mots à peu près solides mais la suite une purée de pois. Tout ce qui le tenait droit sur sa chaise, ligaments, cartilages, muscles, démis-sionne. Le squelette même semble se liquéfier. Emportées par l'affaissement général, ses paupières pèsent, tombent. Ce qu'il reste de nerfs actifs dans ses lèvres articule à grand-peine qu'il doit être encore épuisé, il va aller se coucher, il s'excuse de faire faux bond, il prie de l'excuser de faire faux bond, cette soirée était super, t'es vraiment une fille super Sonia. Une fille super. Vraiment. Son corps est incapable de l'acte qu'il réclame. La verticalité une gageure. Il y faut les bras de Léna passés sous ses aisselles et soudain dotés d'une force insoupçonnable. Gilles remercie d'une syllabe informe, baveuse. Un bras autour de son cou, l'autre à la taille, elle le guide jusqu'à son lit de roi. Le laisse s'affaler sur le ventre, à plat, sans coudes amortisseurs. Le regarde s'abîmer dans le sommeil plus rapidement que prévu. La fatigue non chimique a dû s'ajouter à la dose. Elle passe dans sa chambre récupérer la flasque, puis à la cuisine enfiler des gants de vaisselle. De retour au bord du lit, elle se positionne à la verticale du dormeur. Attend que la respiration forte ait viré au ronflement pour le retourner sur le dos et que ses joues scandaleusement intactes s'offrent à elle. Assurément la douleur le réveillera et alors n'importe quoi peut arriver. Elle n'en a cure. L'après ne lui est rien. Importe ce qui arrive maintenant. Tout le reste est métaphore. Elle débouche la flasque, l'élève à l'aplomb de Gilles béat de sommeil. Un imbécile heureux, et c'est bien la dernière fois de sa vie. En cet instant commence l'enfer qu'elle lui a concocté. Elle entame sa torsion de poignet pile au-dessus du visage, de sorte qu'il arrive strictement ce qu'elle désire qu'il arrive.

Évidemment cela n'arrive pas.

Évidemment une main énorme empoigne son avant-bras pour le neutraliser, tandis qu'une autre d'égale puissance arrache la flasque.

26

Didier vide la flasque sur la moquette bleue. La moquette fume sous l'acide puis se tait. Ça fait un creux noir dans le bleu. Didier balance l'objet et plaque sa main libérée sur la bouche de Léna qui l'insulte. Pas crier. Il la traîne à la cuisine, l'immobilise sur une chaise, lie pieds et poings avec du chatterton sorti de nulle part. Ne la bâillonne pas. Elle le maudit, il dit qu'il l'aime. Il va revenir. Il lèche une larme. Le visage mouillé est moins beau.

Enrobant l'assiette la crêpe marron attend toujours.

Dans le lit le corps anesthésié n'a pas bougé. L'esprit n'est pas dedans. Didier redresse le corps de plomb pour l'asseoir puis le remettre sur pied. Il ne tient pas tout seul. Didier fléchit pour attraper les jambes par leur revers et le hisser sur lui. Maintenant Didier a deux têtes. L'une dort sur l'épaule de l'autre. Une tête qui ronfle, une tête qui rit.

Après la chambre c'est le salon. Gilles est plus lourd que Chantal comme Didier est plus lourd qu'une assiette. Si une assiette porte Didier elle casse. Sous Gilles Didier ne casse pas. Les bras de Gilles pendent devant. Secouées par la marche ses mains font bonjour au jardin. La lune est cachée derrière la nuit. Dans le noir les pas font plus de bruit. Sous les pas un chien aboie. Didier caresse le palmier pour le rassurer. Il ne part pas longtemps. Il descend et il remonte.

Une goutte tombe sur le front de la tête qui rit. Une autre sur la nuque de la tête qui dort.

Le bois fait plus de bruit que le jardin. Dans le noir le cri de la chouette est plus grand que la chouette. La terre prend l'empreinte des pieds. La pluie lui donne une odeur et aussi aux feuilles. Didier enjambe un tronc couché. Parfois le vent est plus fort que l'arbre.

Sur la route qui descend droit les pieds glissent. Didier rond descendrait plus vite. Lentement est mieux. Marcher est mieux. Marcher a raison. Marcher est la solution. Un pas répond à la question qu'il pose.

Les réverbères sont endormis comme la tête qui ronfle. Sur le bord les maisons sont trouées de jaune. Ce n'est pas le jaune de Léna. Ce n'est pas le jaune de Sonia. Sur les toits l'eau glisse et ainsi elle n'entre pas dans les maisons. Vers le bas la route imite un serpent. Les phares tracent des traits orange dans le noir. Les gouttes font chanter le lac. Son eau noire recouvre le bruit de l'air. Ici est bien. Plus loin n'est pas mieux. Didier pose sur le banc le corps de la deuxième tête. Il retire son pull violet, l'enfile sur le buste inerte. La laine sera plus forte que la pluie. La sueur tiendra chaud à Didier torse nu. Longtemps il pose ses lèvres sur le front endormi.

Longtemps.

Puis s'avance goûter le lac. Attrape un poisson brillant. L'élève au-dessus de l'eau. Regarde sa peur droit dans les yeux. Desserre les doigts. Voit le poisson brillant plonger et s'éteindre dans l'eau sombre.

Didier scrute le lointain hors de vue sous le ciel sans lune. Quand la barque apparaît, elle est déjà proche. Didier l'attendait mais ne l'a pas vue venir. Juste après elle est moins petite. Juste après elle est encore moins petite. Juste après une forme se dresse dedans puis s'affine en silhouette. Le bras de la silhouette s'agite. La grenouille sur son épaule est éclairée de l'intérieur. Le bras de Didier s'agite en réponse. Le vent pousse la barque vers ici. Elle va se coller au ponton, là tout près, et ainsi la silhouette veillera sur le pull violet plus chaud que l'air. Didier peut partir. Didier peut retourner au palmier. Il faut le laisser maintenant. Il a fait ce qu'il devait. Depuis le banc on voit une voiture le doubler. Saisi par les phares son dos nu scintille.

Il se passe du temps.

Les gouttes se multiplient puis se divisent puis s'annulent de sorte qu'une aube sèche éclaire Gilles, que son derme se réchauffe, que son sang circule, que le soleil pleine face chatouille ses paupières, que le cerveau réactivé sensibilise son ventre qui dès lors le picote.

Sensation si lointaine que le sommeil l'imagine rêvée. Mais la piqûre réveille Gilles. Elle a lieu dans cette partie-ci de la réalité.

La vie recommence par elle.

Elle ne repart pas de rien. Il y a un corps et qui se rappelle. Il se rappelle peu. À travers sa brume Gilles ne distingue ni où il se trouve ni pourquoi. Quelle grâce ou quelle malédiction l'a mené sur ce banc. Il fait durer ce dernier répit avant le premier assaut du savoir. Il aime ne pas connaître le monsieur agenouillé dans la barque qui ondule le long du ponton. Le monsieur salue en inclinant le visage, Gilles sourit en retour, ça lui vient comme ça, une décision autonome de son humeur. L'homme écarte les rames et saute à quai. Debout il est plus petit. Un adulte taille enfant.

Il demande si tout va. Gilles dit que oui et au picotement près c'est vrai. L'homme enfant se présente comme le gardien du lac, il a gardé son sommeil, c'était un sommeil profond mais tremblant, est-ce que vraiment tout va?

Gilles répète que oui.

Veut-il passer de l'autre côté?

Non Gilles va continuer un peu ici.

Puisque telle est sa volonté, Momo repartira comme il est venu. Assombrie par le contre-jour, la barque s'éloignera sans rames ni vent. Quand Gilles la perdra de vue, la piqûre au foie reprendra. Il pensera avoir mal digéré, peut-être trop mangé, n'y pensera plus. Dans ce suspens entre avant et après, tout sera égal. Demeurer près de l'eau égal à bouger. Tout sera miraculeusement indifférent.

Seule une soif de félin le dressera.

À la verticale le foie piquera moins. Une réminiscence de cidre traversera la cervelle. Gilles la refoulera, pressentant que c'est mieux ainsi; que la mémoire ne charrie rien de bon. Au bout du quai il avisera l'enseigne pâle d'une brasserie matinale. Dans le reflet de la vitrine son pull violet lui semblera tombé du ciel. D'une pile il tirera une chaise en plastique qu'il orientera vers l'est. Il se fera servir en terrasse. Il aimera n'avoir rien pour payer. Des cloches annonceront Pâques. Les premiers centilitres de café lui brûleront la langue, les boyaux. Il y aura un malaise, ce sera inconfortable, ce sera signe que tout reprend, puis gorgée après gorgée l'estomac s'acclimatera et alors il se peut qu'à la faveur d'un fragile accord entre le breuvage et l'organe, d'une brève vacance de la peine, quelques secondes, peut-être une seule, un atome de temps, un laps volé à Dieu, il se sente bien.

Un grand merci à Agnès, Anne-Laure, Corinne et Norah.